KB160752

제**2**판

치위생
연구방법론

저자 김한나 김희은 이선미 장종화
전수경 정다이 한지형

군자출판사

제 2 판

치위생 연구방법론

1판 1쇄 발행 | 2012년 01월 20일
2판 1쇄 발행 | 2021년 02월 28일
2판 2쇄 발행 | 2023년 08월 28일

지 은 이   김한나, 김희은, 이선미, 장종화, 전수경, 정다이, 한지형
발 행 인   장주연
출 판 기 획   한인수
책 임 편 집   이경은
편집디자인   임유리
표지디자인   양란희
발 행 처   군자출판사(주)
　　　　　등록 제 4-139호(1991. 6. 24)
　　　　　본사 (10881) **파주출판단지** 경기도 파주시 회동길 338(서패동 474-1)
　　　　　Tel. (031) 943-1888   Fax. (031) 955-9545

ISBN 979-11-5955-667-8
정가 25,000원

제2판

치위생 연구방법론

RESEARCH METHODOLOGY FOR DENTAL HYGIENE

저자

김한나 • 청주대학교

김희은 • 가천대학교

이선미 • 동남보건대학교

장종화 • 단국대학교

전수경 • 한서대학교

정다이 • 한양여자대학교

한지형 • 수원과학대학교

머리말

 학문의 발전은 연구를 통해서 지식체가 누적되고 정립되어 이론이 생성되며, 이는 다시 연구로 회환되는 계속적인 과정이 전개됨으로써 가능하다. 이러한 학문 발전을 위해 무엇보다 필요한 것은 연구를 수행하여 지식체를 개발할 수 있으며, 개발된 지식체를 현장에 적용할 수 있는 치과위생사를 기르는 일이다. 이러한 능력을 갖춘 치과위생사가 되기 위하여 치위생 연구 수행능력은 이제는 모든 치과위생사에게 선택이 아닌 필수 요구사항이다. 현재 치위생(학)의 교육기관에 있는 교육자뿐만 아니라 다양한 임상현장에 근무하는 치과위생사들의 연구활동이 활발해져서 전문학술지에 논문을 게재하거나 각종 학회의 학술대회에서 구연 및 포스터 발표를 통해 치위생 지식체를 확장·발전시키고 있다.

 치위생 연구는 치위생 영역이나 요소를 정의하고 치위생학의 영역을 확장하여 치과위생사의 직업적 정체성 발전에 기여할 수 있으리라 생각한다. 치위생 연구로부터 나온 결과는 임상현장에서 치위생 역할을 그려나가며 치위생 실무의 효율성과 타당성에 대한 자료를 적극적으로 홍보하고 제시할 수 있으리라 생각한다.

 이러한 연구능력을 모든 치과위생사가 갖게 하기 위하여 본 저자들은 초보 치위생 연구자들도 쉽게 접근할 수 있고 따라할 수 있는 치위생 연구교재 개발의 필요성을 느끼게 되었다. 또한 치위생 연구자들이 치과위생사의 주요 역할로 자리매김하도록 연구방법론도 최신의 연구기법을 활용한 실제를 소개하면서 좀 더 이해가 쉽고 활용도 높게 기술되어져야 한다고 생각한다.

RESEACH METHODOLOGY FOR DENTAL HYGIENE

따라서 본 교재는 가능한 쉬운 용어로 연구의 원리와 과정에 대해서 자세히 설명하려고 노력하였으며, 연구방법을 공부하는 학생들 및 임상의 치과위생사들이 힘들고 어렵다는 편견을 갖지 않도록 돕기 위해 치위생과 관련된 사례를 들어 이해가 쉽도록 하였다. 그리고 학습자가 연구문제를 찾아 계획하고, 결과물을 발표하기까지를 체계적으로 정리하고자 하였다. 따라서 학부 학생들에게 치위생연구에 대한 기초적인 지식과 안목을 키워줄 수 있음은 물론 임상현장에서 치위생 실무를 수행하고 있는 치과위생사와 전공심화과정 및 대학원 학생들에게도 자료분석과 연구논문 작성에 대한 안내서가 될 수 있으리라 생각한다.

마지막으로 이 책이 나오기까지 출판을 맡아주신 군자출판사 장주연 사장님과 수고하신 편집팀 모두에게 깊은 감사를 드린다.

2021년 2월
저자 일동

목차

RESEACH METHODOLOGY FOR DENTAL HYGIENE

CONTENTS

치 위 생 연 구 방 법 론

CHAPTER 1

치위생
전문직과 연구

Reseach Methodology
for Dental Hygiene

치 위 생   연 구 방 법 론

치위생 전문직과 연구

 ## 1. 과학적 탐구와 연구

연구하는 일은 그 일 자체가 상당히 과학적인 일련의 과정을 통하여 이루어지기 때문에 그 나름대로의 객관성과 타당성을 충분히 갖고 있어야 한다.

어떤 학문분야가 독립적인 과학으로 성립하려면 학문고유의 연구대상과 보편타당한 이론을 정립할 수 있는 과학적 연구방법이 있어야 한다. 과학적 연구란 한 학문 분야와 관련된 경험적 현상을 설명하고, 그들 간의 상호관련성을 밝히기 위한 체계적인 탐구라고 정의할 수 있다. 따라서 과학의 전제조건은 첫째, 연구의 모든 대상은 직접적 혹은 간접적으로 관찰할 수 있어야 하며, 둘째, 과학적 방법은 경험적 세계의 현상들이 그 내부에 질서가 있어야 하며, 셋째, 모든 경험적 현상을 설명할 수 있으며, 이성적 추론과 능동적 관찰을 통해 궁극적으로 설명할 수 있어야 한다.

'연구'의 의미는 어떤 것을 면밀하게 조사하고 탐구하는 것이다. 다시 말하면, 연구는 기존 지식의 정당성을 다시 확인하기 위해서, 또는 어떤 새로운 현상을 알기 위해서 꾸준히 체계적으로 조사하고 탐구하는 과정이며, 그 결과 새로운 지식을 창출하는 과정이다. 이렇게 조사하고 탐구한다는 것은 계획하고 조직하고 지속적으로 관찰한다는 것으로 무엇을 알아야 하고, 여러 방해요인을 차단하여 어떻게 대상의 속성을 가장 잘 측정할 수 있으며, 그 결과가 무엇인지를 논리적이고 타당하게 체계적인 방법을 통해서 알아가는 것이다.

컬린저(Kerlinger, 1986)는 연구란 자연이나 사회현상에 존재한다고 예상할 수 있는 관계를 가설로 제시하고, 이를 주관적인 감정이나 편견 없이 가능한 한 통제된 실증적 상황에서 과학적인 방법을 통해서 검증하는 것이라고 하였다.

연구는 아직 알려지지 않은 어떤 질문에 대해서 또는 알려진 사실의 타당성을 입증하고, 더 발전시키기 위해서 논리적이고 체계적이며 타당한 방법으로 탐구해 가는 과정이며, 그 결과 지식체를 생성하는 것이라고 할 수 있다.

2. 치위생 연구의 개념

전문직은 사회적 기능과 책임을 잘 수행하기 위해서 그 기초가 되는 과학적 지식체를 정립하고 발전시켜야 하는 책임이 있다. 다시 말하면, 각 전문직은 각자의 독특한 지식체를 갖고 있어야 한다. 이러한 지식체는 전통, 권위, 경험과 시행착오, 논리적 추론, 과학적 방법 등을 통하여 얻어진다. 그러나 이 중에서 과학적인 방법을 통해서 더욱 구체적이고 논리적이며 체계적인 지식을 습득할 수 있다고 하겠다.

치위생 연구는 치위생 현상과 관련된 것을 치위생 학문의 독특한 관점에 의해서 도출하고, 치위생 학문의 실무에 대한 틀을 조직화하는데 있어서 과학적 방법을 이용하여 탐구하는 것이며, 그 결과로 치위생 전문직의 지식체를 형성하는 과정이라고 할 수 있다.

연구는 전문직의 발전에 있어서 필수적인 것이다. 연구를 통하여 과학적 지식체를 형성할 수 있으며 이론이 발전되고 이론이 검증될 수 있다.

치위생 연구를 통하여 얻어진 지식과 이론은 치위생 실무의 결과를 계획하고, 예측하고 조절할 수 있는 과학적 기반을 제공하게 된다. 연구에 의해 과학적 기반에서 치위생 실무가 이루어진다면 이것은 치과위생사의 과학적인 의사결정 능력을 높일 수 있고 결과적으로 전문직의 자율성과 책임감을 신장시킬 것이다.

치위생 전문직의 궁극적인 목적은 치위생 활동을 통해서 대상자에게 제공되는 서비스의 질을 최대한 높여서 전문직의 업무능력을 향상시키는 것이라고 할 수 있다. 이를 위해서는 치위생 전문직의 과학적 지식체를 발전시켜야 하며, 그 과정이 과학적 연구방법을 통한 치위생 연구과정이라고 할 수 있다. 그러므로 치위생 연구는 치위생 전문직 발전을 위한 지식체를 정립하고 확장하며 발전시켜 나가기 위해서 필수적이라고 할 수 있다.

3. 근거중심의 치위생 연구

학문은 연구하고 교육할만한 가치가 있다고 설정한 지식의 체계적인 집합이다. 학문적 전문성을 확립하기 위해서는 일련의 연구를 통해 그 분야의 지식이 쌓여야 한다. 즉, 치위생학을 발전시키기 위해서는 사회적 필요 및 정치적 경향에 기반을 둔 '실행(practice)'과 연구의 결과에 기반을 둔 '과학(science)'이 함께 작용해야 한다. 연구는 과학적 발전에 가장 중요한 도구로써 체계적인 방법을 통해 과학적 현상을 설명하는 것이다. 연구는 '기초연구'를 통해 얻은 지식을 적용하는 '적용(임상)연구'를 거쳐 그 결과가 발전되어 실제로 적용되고 활용된다. 연구는 학문이 적절한 의미를 파악하고, 고유의 독립적인 정체성을 확립하는 데 도움이 된다. 학문 발전을 위해 각 분야에서는 그에 맞는 연구가 활발히 진행되고 있다.

최근 의학은 임상적인 의사결정을 할 때, 근거중심의학(Evidence-based Medicine, EBM)을 이용해 과학적인 근거에 기초한 적절한 진료 방법을 선택하고 있다. 근거중심의학은 임상의료가 갖추어야 하는 기본 기술로 인식되어지고 있다. 근거중심의학이란 '가장 좋은 최신의 근거를 공정, 명백하고 현명하게 사용하여 개개의 환자에 대한 의사결정을 하는 것'이다. 근거중심의학은 최근 보건의료계로 확장되어 근거중심보건의료(Evidence-based healthcare), 근거중심간호(Evidence-based nursing), 근거중심실행(Evidence-based practice) 등으로 분야를 확장하고 있다.

치위생 연구의 이론 및 실무와의 관계를 보면 이론이란 치위생 현상에 대한 명제들로 구성되어 있으며, 연구를 통해서 경험적으로 검증되어 일반화될 수 있는 진술이라고 볼 수 있으며, 이 이론은 치위생실무의 근거를 제시한다고 볼 수 있다. 그러나 기존의 이론에서 설명할 수 없는 여러 치위생 현상들이 치위생 실무현장에 존재하며, 이러한 현상들을 상세하게 관찰·기술하고 설명하여 실무 치과위생사들이 그 현상을 이해하여 대상자의 치위생 전략을 세울 수 있도록 해야 한다. 이론은 연구를 위한 도전적 사고, 명료한 가치와 가정, 치위생 실무와 교육 및 연구의 목적을 올바르게 설정하도록 돕는다. 또한 이론은 연구의 방향과 현상의 다양한 관계에 대한 개념화, 연구방법론, 연구결과에 대한 타당한 평가기준을 제시해 준다.

한편 치위생 이론은 연구를 통하여 검증되고 수정되며 새로운 이론개발로 유도될 수 있다. 이론이 현상에 대한 서술적이고 설명적인 기능을 갖는다면, 연구는 서술되고 설명된 현상을 과학적인 방법을 통해서 검증하는 것이라고 할 수 있다.

연구와 이론은 나선형의 형태를 띠고 상호 순환적으로 발전된다. 즉, 어떤 이론적 틀을 기초로 하여 연구가 시행되고 연구에 의해서 이론이 검증되고 생성되며 새로운 이론으로 확장되고, 다시 이론적 기초를 근거로 새로운 연구가 시행되는 것이 반복되는 것이다. 따라서 연구는 이론개발 과정에 기여하는 특별한 목적을 가지고 연구되어야 한다. 이론개발에 기여하는 방법으로는 이론—일반화 연구와 이론—검증 연구가 있다. 전자는 현장참여 관찰, 질문, 인터뷰 등의 방법을 통하여 현상을 관찰하고 이론을 일반화시키는 귀납적 방법이며, 후자는 현상간의 관계를 관찰하여 이론의 실증적 정확도를 높이는 연역적 방법이다.

결론적으로 이론이 기초가 되어 연구가 이루어지며 연구를 통해서 이론을 검증하고 수정하고 확장하고 발전시킨다. 그리고 이러한 결과들은 치위생 실무의 기반을 이루며, 이를 통하여 치위생 전문직으로서 발전해 나간다.

4. 치위생 연구동향

치위생학이 학문으로서 고유의 정체성을 확립하기 위해서는 치위생학 연구가 올바른 방향으로 나아가야 한다. 그러기 위해서 과거의 문제점을 파악하고, 현재 연구 수준을 가늠하는 연구동향 파악이 필요하다. 이를 통해 현재 한국 치위생학 연구의 수준을 가늠하여 앞으로 한국의 치위생학 연구자가 고려해야 할 점을 확인해 볼 필요가 있다.

미국치과위생사협회(American Dental Hygienists Association, ADHA)는 치위생학 연구의 중요성을 인식하여, 연구기반을 조성하고 활성화하기 위해 1995년 '미국의 치위생학 연구에 관한 의제(National Dental Hygiene Research Agenda, NDHRA)'를 발굴하여 제시하였다. 이는 2001년, 2007년, 2016년 개정되었으며, 연구분야는 전문직개발(교육, 규제, 직업보건), 고객차원(기초과학, 구강건강관리), 대중차원(의료서비스, 의료 접근성)으로 구분되어 있다.

또한 캐나다치과위생사협회(Canadian Dental Hygienists Association, CDHA)에서도 치위생 전문직의 발전과 질 향상을 위해 2003년에 '치위생학 연구의제에 관한 워크숍'을 개최하여 '캐나다의 치위생학 연구에 관한 의제(CDHA Research Agenda)' 보고서를 발표하였고, 2009년, 2013년, 2019년에는 CDHA's 2015-2018 Dental Hygiene Research Agenda를 2020년까지 연장하기로 하고 CDHA's 2015-2020 Dental Hygiene Research Agenda를 발표하였다. CDHA는 구강건강 및 건강연구에서 현재와 미래의 국내 및 국제 방향과 일치하는 정보를 바탕으로 위험 평가 및 관리, 의료 접근성 및 충족되지 못한 요구, 전문직의 역량 구축을 기준으로 연구의제를 제안하였다.

표 1-1 미국 National Dental Hygiene Research Agenda 하위분류기준과 그 내용

분류	분류 개념
건강증진 및 질병예방	• 건강 유지와 질병예방에 대한 연구 • 공중보건 정책, 법제화와 옹호 • 새로운 도구, 전략의 개발과 타당도 검증
보건서비스 연구	• 보건서비스의 질 증진 및 비용 절감 • 환자의 안전과 진료 실수에 대한 연구 • 필수 서비스에 대한 접근의 확대
교육 및 능력개발	• 학생들을 위한 교육방법, 커리큘럼 • 치과위생사들의 능력 증진 • 치과위생사의 진로
임상 치위생 처치	• 치위생과정(사정, 진단, 치료계획, 수행, 평가) • 의사결정 및 임상적 추론 • 자료 관리
직업 안전과 건강	• 임상가 및 환자에게 노출되는 위험 • 치과 진료실 내 행동 준수 사안 및 예방 사안 • 치과위생사의 직업 안전성

출처: American Dental Hygienist Association National Dental Hygiene Research Agenda, 2007.

표 1-2 캐나다 CDHA Research Agenda 하위분류기준과 그 내용

분류	분류 개념
생의학적 연구	• 세포, body system, 전반적인 신체과정, 건강 증진을 위해 사용되는 장비 또는 치료법에 관한 연구
임상적 연구	• 진단과 치료, 예방, 건강증진을 위한 중재방법에 대한 연구
보건 서비스 연구	• 보건 서비스가 전달되는 방법, 서비스의 질, 비용 그리고 어떻게 환자들이 서비스를 받는 지 등 보건서비스에 관한 모든 연구
사회, 문화, 환경, 인구집단 보건에 관한 연구	• 사회, 문화, 환경이 대중의 건강 결정 요인으로써 대중의 구강건강에 어떻게 영향을 미치는지에 대한 연구

출처: Canadian Dental Hygienists Association Research Agenda, 2019.

치위생학 학문 분류는 2009년 『우리나라 치위생학 학문체계의 발전 방향에 관한 연구』 (정원균 등, 2009)에서 가장 먼저 제기되었고, 2014년 『치위생학 학문 분류 정립을 위한 연구』 (류정숙 등, 2014)에서 '기초치위생', '임상치위생', '사회치위생', '교육치위생', '치위생학

연구'로 분류를 제시하였다. 2015년 7월 기준 한국연구재단의 '학술연구 분야 분류표'에 '임상치위생', '사회치위생', '교육치위생'이 세부분야로 등재되었다.

표 1-3 **치위생학 학문 분류 개념**

분류	분류 개념
기초치위생	• 인체의 형태 및 구조 • 인체의 기능 및 병변
임상치위생	• 임상치위생처치(치위생 과정) • 임상치과지원 • 치과의료관리
사회치위생	• 지역사회구강보건 • 구강보건행정 • 구강보건통계
교육치위생	• 구강보건교육

출처: 류정숙 외. 치위생학 학문 분류 정립을 위한 연구. 대한치과위생(학)과교수협의회. 2014.

　일부 학회지의 게재논문의 연구주제 분석결과를 보면 '구강건강문제'가 가장 많았고, '치위생학생과 치과위생사'를 다룬 주제가 그 다음 순이였으며, 치과재료, 교육과정, 미생물 등의 주제를 다루고 있었다.

　한국 치위생학 연구의제 발굴 연구보고서에 의하면, 한국의 치위생학 연구자들은 '대상자 환경 및 특성'에 따른 대상자의 '구강건강상태'의 차이에 대한 연구주제에 관심이 많았고, 연구대상 분포는 '치과위생사' 혹은 '치위생(학)과 학생'이 가장 많았다. 반면 국제 치위생학 연구는 '구강관리용품'의 종류 및 사용에 따른 대상자의 '구강건강상태'의 변화 혹은 '구강질병' 예방에 대한 연구에 관심이 많았고, 연구대상은 '일반성인'이나 '내원환자'의 분포가 많았다. NDHRA 분류에 따라 분석한 결과, 한국과 국제 치위생학 연구 모두 '건강증진 및 질병예방'에 대한 연구에 가장 관심이 많았고, '임상치위생처치'에 대한 연구가 가장 적었다. 한국의 치위생학 학문 분류에 따라 분석한 결과는 한국 치위생학 연구는 '사회치위생', 국제치위생학 연구는 '임상치위생'으로 가장 많이 분포하였다.

표 1-4 **학회지별 미국 National Dental Hygiene Research Agenda 분류 분포** 단위: 편(%)

합계		한국			국제
		소계	한국치위생학회지	치위생과학회지	IJDH
건강증진 및 질별예방	788(40.3)	572(37.2)	323(37.9)	249(36.7)	216(51.9)
보건서비스 연구	378(19.8)	298(19.5)	168(19.5)	130(19.1)	89(21.4)
교육 및 능력개발	260(13.3)	201(13.1)	133(15.5)	68(10.0)	59(14.2)
임상치위생처치	69(3.5)	42(2.7)	22(2.6)	20(2.9)	27(6.5)
직업안전과 환경	193(9.9)	174(11.3)	88(10.2)	86(12.7)	19(4.5)
기타	258(13.2)	252(16.4)	126(14.7)	126(18.6)	6(1.4)
합계	1,955(100.0)	1,539(100.0)	860(100.0)	679(100.0)	416(100.0)

출처 : 김남희 외. 한국 치위생학 연구의제(Research Agenda) 발굴. 한국치위생과학회, 연세대학교 원주산학협력단, 2016.

한국과 국제 치위생학 연구의 치위생학 학문 분류에 따른 분포는 유사하게, '임상치위생'과 '사회치위생'에 집중되어 있었다. 그러나 한국 치위생학 연구는 '사회치위생'과 '임상치위생' 분포가 비슷하였으나, 국제 치위생학 연구는 '임상치위생' 연구가 확연하게 많이 분포하였다.

표 1-5 **학회지별 치위생학 학문 분류 분포** 단위: 편(%)

합계		한국			국제
		소계	한국치위생학회지	치위생과학회지	IJDH
기초치위생	250(12.8)	199(12.9)	72(8.4)	127(18.7)	51(12.3)
임상치위생	696(35.6)	527(34.2)	339(39.4)	188(27.7)	169(40.6)
사회치위생	659(33.7)	546(35.5)	316(36.7)	230(33.9)	113(27.2)
교육치위생	149(7.6)	119(7.7)	75(8.7)	44(6.5)	30(7.2)
기타	201(10.3)	148(9.6)	58(6.7)	90(13.3)	53(12.7)
합계	1,955(100.0)	1,539(100.0)	860(100.0)	679(100.0)	416(100.0)

출처 : 김남희 외. 한국 치위생학 연구의제(Research Agenda) 발굴. 한국치위생과학회, 연세대학교 원주산학협력단, 2016.

한국의 치위생학 연구는 일부 분류에 편중되어 있으며, 특히 실제 임상에 적용할 수 있는 연구가 매우 적었다. 치위생학 연구가 학문으로서 독립성을 가지기 위해서는 학문분류에 따른 세부전공의 전문성을 확보하여 치위생 학문의 고유한 지식체를 가져야 한다. 또한, 최상의 치위생서비스를 제공할 수 있도록 탄탄한 기반의 '기초연구' 및 '임상연구'가 뒷받침되어야 한다.

따라서 첫째, 치위생학의 토대를 세우기 위한 치위생철학에 대한 연구가 선행되어야 한다. 둘째, 치위생학 연구자는 치위생학 연구의 현안문제를 파악하여 독창성이 있고, 그 시기에 요구되는 연구주제를 선정하여야 한다. 셋째, 연구 진행 시 학문분류 기준을 먼저 염두에 두어 주제와 대상을 선정하고, 연구결과를 학회지에 투고 시 학회지의 특성을 고려한 후 연구주제별로 학회지를 선택한다. 넷째, 연구보고서 및 논문 작성 시 연구 핵심어에 MeSH 용어를 사용한다. 다섯째, 모든 치과위생사는 연구자로서, 개인의 고유활동 분야에서 연구 분위기를 구축한다. 마지막으로 근거기반치위생 수행이 이루어질 수 있도록 임상 적용 가능한 연구를 수행하도록 한다.

5. 치위생 연구윤리

1) 연구방법의 선택

연구방법을 선택하는 것은 연구과제에서 연구결과의 가치와 특성을 결정짓는데 중요하다. 연구방법을 선택하는 것은 대개 어렵고, 상당한 경험과 때로는 대담성을 요구하기도 한다.

학술연구에서 연구방법의 문제는 매우 중요하여 과학적인 질적 수준과 직결된다. 인문사회과학 분야에서는 더욱 그러하다. 가령 구조화된 설문조사에서 반응시간이나 응답빈도에 대한 실측을 바탕으로 하는 '실증주의적' 인간 대상 연구와 서신·심층 인터뷰 등에 나타난 개인의 생각을 연구자가 풀이하는 '해석학적' 연구 사이에는 단순한 실용성 이상의 차이가 있다. 어떠한 연구방법을 선택할 것인가를 논의할 때 연구결과의 일반화 가능성과 어느 정도의 객관성을 지니는가의 문제를 성취 가능한 과학적 결론의 이익, 또는 깊이와 비교·검토해야 할 것이다. 그렇지만 이것이 실증주의적 연구방법과 해석학적 연구방법을 융합하는 협력연구를 시도하는 것이 가치 없다는 의미는 아니다. 이들 두 연구방법 사이에서 신뢰하는 일 또한 윤리적 의미를 지닌다. 실증적 연구에서 연구자들이 개별 연구와 맺는 관계는 종종 더 냉정하고 거리감이 있다. 반면 해석학적 연구는 연구자와 연구대상 사이의 관계에 공감이라는 중대한 요소가 포함된다. 두 경우 모두 연구자의 지위는 필연적으로 윤리적 복잡성이나 위험을 수반할 수 있다.

연구방법을 선택하는데 윤리적으로 수고해야 할 중요한 문제는 이 밖에도 더 있다. 동물실험을 조직표본에 관한 연구로 완전히 또는 부분적으로 대체할 수 있는지, 심각한 부작용이 나타나는 상황에서 임상시험(drug trial)을 포기해야 하는지, 또 의약품의 효과가 알려진 이후에 통제집단에 대한 위약치료(placebo treatment)를 중단해야 하는지 등을 판단해야 한다. 학대받는 엄마의 아이들에 대한 인터뷰는 범위를 어디까지 제한해야 하며, 서로 다른 종족의 사회화에 관한 연구에서 폭력적 성향이나 지능은 어느 정도까지 측정될 수 있는지 등에 관한 문제도 있다. 원칙적으로 이와 같은 연구의 윤리적인 측면은 기관윤리심의회에서 심의하여야 한다. 특정 연구에서 장점이 비슷한 연구방법들이 여러 가지 있을 경우는 일반적으로 피험자에게 입힐 지 모르는 해로운 결과를 최소화하는 연구방법을 선택해야 한다. 또한 계획하고 있는 연구의 효용성과 예상되는 연구결과의 과학적 가치는 다른 역효과와 견주어 보아야 한다.

● 연구윤리위원회

1974년 DHEW(Department of Health, Education, and Welfare)에서 인간을 대상으로 실시되는 모든 연구는 연구윤리위원회의 심의를 거쳐야 한다는 규정을 결정하였고, 이 규정을 DHHS(Department of Health and Human Services)가 심의·수정하여 윤리위원회의 위원, 기능, 작용 등에 대한 가이드라인을 제시하였다.

● 연구윤리위원회의 목적

연구자들이 인간을 대상으로 실시하는 연구를 윤리적으로 시행하는지를 심의하는 것이다. 연구윤리위원회의 구성은 최소한 5명 이상으로 문화, 경제, 교육, 인종 등의 다양한 배경을 가진 위원들로 구성이 되며, 연구를 심의하는데 전문가로 구성된다.

국내에서는 2003년 대한임상연구심의기구협의회에서 연구에 참여하는 사람들의 존엄성, 권리, 안전 및 복지를 증진시키고 과학적 연구의 신뢰성을 높이기 위해 각 의료기관 및 생명의학연구기관에서 연구의 윤리성 심의를 하는 연구윤리위원회의 설치와 운영에 관한 지침을 제공하기 위한 규정을 제정하였다. 이 규정에 따르면, 연구윤리위원회는 그 기관에서 많이 수행되는 연구 활동을 적정하게 심의할 수 있도록 다양한 배경을 가진 최소한 5인 이상의 위원으로 구성하고 심의한다.

2) 자료처리와 기록

연구과제를 수행하면서 수집된 다양한 자료와 시료는 원자료, 또는 1차 자료라 불린다. 실험과정에서 만들어진 기구, 우주망원경을 통하여 얻어진 천문학 영상, 병원에서 나온 엑스레이 영상, 인터뷰 내용이 담긴 녹음테이프, 대규모 컴퓨터 시뮬레이션의 결과, 토양 시료, 조직 시료 따위가 원자료에 해당한다. 수많은 연구자들이 그런 자료들을 수집하기 위하여 엄청난 노력을 기울인다. 그리고 많은 학문 분과에서 연구자들은 자신의 원자료를 자신의 사유재산으로 간주하고 있다. 그렇지만 이렇게 생각하는 것은 문제가 있다. 자료를 수집하는 연구 활동은 원칙상 고용계약의 일부이며 종종 공적 자금의 지원을 받아 수행된다. 그만큼 사회는 해당 연구에 상당한 액수를 투자한 셈이다. 이런 유형의 자료가 지니는 가치는 어쩌면 후대에 이르러 엄청난 것이 될지도 모르며, 현재는 여러 가지 이유에서 예측하기 어려울 수 있다.

따라서 원자료는 아주 조심스럽게 다루어야 하며, 자료를 수집한 사람들 이외의 연구자들도 활용할 수 있도록 보존·기록하는 일이 중요하다. 단기적으로는 가령 오류 발생 지점을 추적하거나 연구 부정행위 혐의에 대응하기 위해, 출판된 연구결과를 증명하려 할 때 등을 위해 연구자료를 기록하고 보존하는 작업은 중요하다. 따라서 원자료를 수집한 연구진 외에는 다른 연구자가 자료에 접근할 수 없다고 단언할 수는 없다.

3) 연구결과-타당성 및 일반화 가능성

과학연구에서 연구결과를 어디서부터 시작해야 연구자가 그 연구결과를 어느 정도 신뢰할 수 있는지 평가해야 하는 어려운 임무에 직면하게 된다. 이는 연구에 반드시 필요한 부분이다. 대부분의 연구 분야에서 보통 신중한 오류 분석을 하는 것이 필수적이며, 그렇지 않은 경우 최소한 있을 수 있는 오류의 원인이나 연구결과의 유효성에 영향을 미치는 기타의 요인에 대해 논의할 것을 요구한다. 문제는 그런 평가가 현실적이어야 한다는 것이다. 예를 들면 논문을 출판할 목적임에도 불구하고 심각한 오류의 징후를 고의로 무시한다거나 또는 새로운 발견을 처음으로 공표하는 사람이 되기 위해 연구결과를 올바른 것처럼 한다면 이는 윤리적으로 미심쩍은 일인 동시에 착수한 연구에 해를 끼치는 일이다. 반면, 연구자들이 지나치게 조심하느라 자신들의 연구결과가 출판될 기회를 아예 놓쳐버리는 일이 생겨서도 안 된다. 가장 중요한 것은 오류 원인을 평가하는데 있어서 명확하고 비판적이며 정직해야 한다는 것이다.

4) 자료이용과 연구부정행위

표절은 일반적 지식이 아닌 타인이 쓴 글의 고유한 내용을 원저작자의 승인을 받지 않고 또는 의도적으로 그 출처를 밝히지 않고 마치 자기 것인 것처럼 사용하는 것을 뜻한다. 비록 자신의 저작물일지라도 적절하게 출처를 밝히지 않고 그 일부 또는 전부를 마치 새로운 것처럼 다시 사용하는 것도 표절이다. 만일 타인의 저작물을 인용할 때 그 출처를 밝혔다고 해도 인용부호 없이 타인이 쓴 독특한 표현이나 아이디어 등을 원문 그대로 옮기는 경우도 표절에 해당한다. 출처를 명시하더라도 정당한 범위 안에서 공정한 관행에 합치되게 인용하지 않은 경우에도 표절이 된다. 또한 가져온 원저작물의 출처를 밝히던 밝히지 않던 베낀 글이나 아이디어가 새로운 저작물에서 대다수를 차지할 때도 표절이다. 그러므로 나의 것이든 남의 것이든 인용하는 것이 새로운 저작물에서 주가 되어서는 안 된다.

(1) 텍스트의 표절

무엇보다 먼저 윤리적 자료 이용과 해석 및 인용에서 중요한 것은 글로 생산된 결과물의 저자가 그 결과물의 유일한 독창적 저자이며, 그가 다른 사람의 텍스트나 아이디어를 빌려올 때 기존에 확립되어 있는 학문적 관례에 따라 명확하게 그 출처를 밝혀야 한다는 사실이다.

텍스트의 표절에서 가장 빈번하게 생기는 것이 바로 인용(citation)의 문제이다. 인용은 이미 발표된 저작물의 내용을 원용함으로써 자신의 논점을 보강하려고 한다. 또는 논술하고자 하는 쟁점에 관해 자기의 견해와 같거나 같지 않은 사람의 저작물을 근거로 제시함으로써 논증의 타당성을 증명하고 논지를 보다 설득력 있게 전개하고자 한다. 그러므로 항상 필요한 곳에 적절한 구절을 인용하고 인용을 함부로 남발하지 않는, 적재적소주의 원칙을 견지해야 한다. 자신의 저작물이나 다른 저자의 글의 일부를 그대로 가져올 경우 반드시 인용부호를 표시해야 하며, 그 출처를 밝히지 않고 베낄 경우 표절에 해당된다.

(2) 부적절한 바꿔쓰기를 통한 표절

바꿔쓰기(paraphrasing)는 일정의 간접 인용이다. 간접 인용은 원전의 의미를 살려 자기 나름의 표현으로 다시 쓰는 것이다. 연구자가 타인의 저작물을 상당 부분 바꿔쓰기하면서도 그 출처를 정확히 밝히지 않으면 윤리적 글쓰기에서 일탈하는 것이다. 원저작물의 논지와 의미를 왜곡하거나 불충분하게 전달함으로써 원래의 취지를 잘못 전달하고 이를 바탕으로 자신의 논지를 전개하는 것은 인용의 윤리에 어긋난다. 그러므로 원저작물의 내용을 바꿔쓰기할 때도 그 출처를 분명히 밝혀야 한다.

(3) 요약과 패치라이팅 표절

요약(summarizing)이란 상당한 양의 글을 짤막한 문단이나 하나의 문장으로 본인의 표현을 사용하여 줄이는 것을 말한다. 올바른 요약 표현은 ① 인용부호를 사용하여 원저자만이 가지는 표현의 독창성을 인정해주거나 ② 다른 사람의 말을 자신의 말로 완전히 바꾸어 써야 한다.

요약할 경우도 자료의 출처를 명확히 밝혀야 하며, 원저자의 글이 너무 난해하여 바꿔쓰기나 요약을 통해서는 정확한 의미를 전달하기 힘들다고 판단될 경우, 직접 인용하는 것이 바람직하다.

한편 패치라이팅(patchwriting)이란 원문을 복사해서 몇 개의 단어를 삭제하거나, 문장구조를 바꾸거나, 동의어를 조합하여 짜깁기하는 이른바 '모자이크 표절'이라고 지칭한다. 이 경우는 타인의 공로를 의도적으로 희석시키고 고의로 감출 뿐만 아니라 나아가 다른 사람의 연구 업적을 마치 자신의 것인 양 행세하는 것으로서 비윤리적 연구의 사례로 간주한다.

(4) 자기표절

자기표절(self-plagiarism)은 저자가 자신의 이전 글이나 자료를 새로 쓰는 글에 다시 활용하면서 그 글이나 자료가 이전에 발표, 출판, 혹은 사용된 적이 있다는 사실을 밝히지 않을 때 발생한다. 물론 훌륭한 글의 경우, 여러 저널에 동시에 게재될 수도 있고 다른 책을 통해 다시 소개될 수도 있다. 그러나 이 경우에도 그러한 정황을 독자에게 정확하게 알리는 표시를 반드시 해주어야만 한다. 그 같은 정황에서 출처를 밝히지 않는다면, 자기 논문이라 할지라도 본문의 일부, 표, 그림의 중복 사용은 자기표절이 되거나 이중게재에 해당될 수 있다.

같은 글을 다른 곳에 옮겨 싣는 자기표절은 충분히 가능한 경우도 있다. 이것은 기존에 발표한 매체의 독자가 한정되어 다른 독자에게도 알릴 필요가 있을 때, 학위 논문의 일부를 다른 학술지나 매체에 분할하여 발표하거나 게재할 때, 하나의 논문을 다른 언어로 번역하여 발표할 때, 혹은 학술회의에서 발표한 글을 확대하여 독립된 논문이나 글로 발표할 때는 가능한 일이다. 그러나 이때도 글이 발표되기 이전의 출처나 원래의 정황을 상세히 설명함으로써 표절의 시비를 피하여야만 한다.

자기표절은 일반 표절과는 달리 다른 사람의 지적 생산물을 훔치는 것은 아니지만, 이전에 발표한 논문이나 글과 동일하다는 것을 표시하지 않을 경우, 독자를 미혹하게 보내는 점에서 비윤리적 연구행위이다. 윤리적인 저자는 독자가 자신의 글을 읽을 때 그 글이 과거 어디에서도 소개된 적이 없는 독창적인 글이라는 것을 전제하고 읽는다는 사실을 망각해서는 안 될 것이다.

한편 자기 표절에는 중복게재(double publication), 중복제출(double-dipping), 데이터 분할(salami slicing), 데이터 증보(data augmentation) 등이 포함된다.

중복게재는 업적을 부풀리기 위해 이미 발표된 논문과 동일한 논문을 타 학술지나 다른 형태의 출판매체를 통해 발표하는 경우 주로 발생한다. 두 논문이 동일하지는 않지만 제목이나 사용된 데이터, 서론 혹은 결론을 약간 변형시켜 발표한 경우도 이중게재이고 이 또한 연구윤리에 위배된다. 이전에 발표한 자신의 논문에 일부 다른 시각을 도입하고 데이터에 대해 새로운 해석을 추가하더라도 주요한 내용이 같다면 새 논문으로 거의 인정받을 수 없다.

데이터 분할은 하나의 연구로서 충분한 자료를 분할하여, 여러 개의 독립된 논문으로 만드는 경우인데 이 또한 연구윤리에 위배된다.

데이터 증보는 이전에 사용했던 자료에 비슷한 성격의 자료를 추가함으로써 마치 새로운 연구를 한 것처럼 보이게 하는 것이다. 이 또한 윤리적 연구라고 보기는 어렵다. 비슷한 성격의 추가 자료는 연구자가 이전 연구에서 좀 더 집중하고 노력했다면 수집할 수 있는 성격의 것이다. 그런 만큼 본질적으로 동일한 성격의 자료를 사용한 것으로 간주하여 중복 출간으로 볼 수 있다.

(5) 저작권 침해

표절과 저작권 침해(copyright infringement)는 상당 정도 겹치는 부분이 있다. 물론 베끼는 것이 모두 표절이 되는 것은 아니며, 불법적 복제 행위인 저작권 침해조차도 모두 다 표절이 되지는 않는다. 그러나 학생이나 연구자가 표절과 자기 표절을 행할 경우, 심지어 '정당한 사용(fair use)'의 권리조차도 저작권 침해로 비난받을 여지가 많다.

교재를 쓰거나 편집하여 제작하는 경우에도 과도한 인용이나 활용으로 인해 자칫 저작권을 침해한다거나 혹은 불성실한 책으로 인식되지 않도록 주의해야 한다. 특히 과제물을 제출하는 학생의 경우 다른 자료를 자신의 의견이나 입장 없이 마구 인용하고 요약하여 과제물을 작성하는 일이 없도록 해야 한다.

(6) 위조 및 변조

참고한 자료나 직접 확보한 자료, 혹은 연구된 결과에서 나온 자료를 연구자의 목적을 위해 위조하고 변조하는 행위는 심각한 윤리 위반이다. 위조와 변조는 실험과 통계에 의존하는 학문분야에서 연구자들이 흔히 행하기 쉬운 연구윤리 위반 항목일 것이다. 다만 실험이나 데이터 혹은 통계에 의존하지 않는 사변적이고 논쟁적인 인문 사회 분야의 논문이나 학생들의 과제물에서도 자료의 위조와 변조가 일어날 수 있다. 위조와 변조에 관련된 데이터 조작 같은 사례는 윤리적 위반을 넘어 사법적 제재의 대상이 될 수 있음을 유념해야 한다.

5) 부당한 저자표시의 유형

NIH (National Institutes of Health)는 저자란 연구자가 실험결과와 그 해석을 동료 연구자들에게 전달할 때 이 실험과 해석에(구두 혹은 서면으로) 참여한 사람들의 명단이라고 정의하고 있다.

대부분의 연구에서는 부당한 저자표시의 유형을 크게 연구 프로젝트나 출판에 실질적인 기여를 하지 않아 해당 분야 저자됨의 기준에 맞지 않음에도 저자로 표시되는 경우와 연구 프로젝트나 출판에 실질적인 기여를 하여 저자됨의 기준에 충분히 해당됨에도 불구하고 그 이름이 저자명단에서 제외되는 것을 말한다.

(1) 강요저자(coercive authorship)

강요저자는 큰 범주에서 명예저자에 포함되기도 하는데, 뒤에서 살펴 볼 손님저자, 선물저자, 명예저자의 경우 당사자를 저자명단에 포함하고자 하는 동력(impetus)이 합법적인 저자로부터 나오는 반면, 강요저자는 그 동력이 합법적인 저자로부터 나오지 않는다는 점에서 앞서의 명예저자와 구분될 수 있다. 연구실이나 학과의 시니어연구자는 자신의 지위를 이용하여 주니어연구자로 하여금 자신의 이름을 논문에 추가하도록 압력을 가할 수도 있는데, 이러한 압력이 분명한 경우 이는 당연히 강요저자에 해당된다.

(2) 명예저자(honorary authorship)

손님저자(guest author), 선물저자(gift author) 또는 명예저자(honorary author)는 연구프로젝트에 중요한 기여를 하지 않았음에도 저자명단에 포함되는 경우를 지칭한다. 손님저자 또는 선물저자가 발생하는 배경에는 상대방이 논문을 발표할 때 자신이 상대방의 이름을 저자명단에 포함시켜 준 것과 같이 이에 대한 보답으로 자신의 이름을 저자명단에 포함시켜 줄 것을 기대하는 경우도 있다.

명예저자의 경우, 주로 주 저자(main author)의 상급자 또는 감독자가 명예저자로 기재되는 경우가 많으며, 논문의 책임 저자가 자발적으로 기재하는 경우로 당사자들은 저자로 기재되었는지를 모르는 경우도 있다. 이처럼 연구에 대한 중대한 기여 없이 상급자나 감독자를 저자명단에 포함하는 이유 중 하나는 신진 연구자가 자신의 연구내용에 대한 신뢰성을 높이거나 학술지에서 쉽게 받아들여지기를 기대하기 때문이기도 하다.

(3) 상호지원저자(mutual support authorship)

두 사람 혹은 그 이상의 연구자들이 협약을 맺어 모든 협약자의 이름을 모든 논문에 기재하는 것으로써 높은 연구생산성을 보이기 위한 방편의 하나로 사용된다. 특히 논문편수로 학문적 보상을 결정하는 경우 이를 조장하게 될 수도 있다.

(4) 유령저자(ghost authorship)

저자의 자격을 보유했음에도 불구하고 논문의 저자명단에서 빠진 사람을 의미한다. 예를 들어, 몇몇 제약회사의 경우 전문가(professional writer)를 고용하여 그들의 제품에 호의적인 논문을 쓰게 하는 경우가 있고, 그 다음으로 절친한 과학자나 혹은 이름을 빌리기 위해 고용을 한 후 논문의 저자로 등록하도록 함으로써 논문에 합법성을 부여하는 경우가 있다.

(5) 저자됨의 거절(denial of authorship)

유령저자(ghost authorship) 중에서 특히 심각한 경우 이를 'denial of authorship'이라고 지칭한다. 가장 대표적인 예는 공동연구에 참여하여 데이터를 생산한 연구원을 다른 공동연구원들이 이 사람을 저자에 포함하지도 않고, 이 사람의 기여를 정확히 알리지도 않고 논문을 작성하는 경우를 말한다.

연구윤리에 대한 사회적 기대치가 높아지면서, 연구부정사건은 연구계 내부의 단순 이슈가 아니라 사회적인 복합 이슈로 재생산되고 있다. 그 이유는 연구 부정사건의 피해가 연구계 종사자들에 국한되는 것이 아니라 사회 전반으로 확대되고 있기 때문이다. 예를 들어 어느 부모가 자신의 연구논문에 자녀를 부당하게 공저자로 끼워 넣고, 이를 대학입시 등에 활용했다면, 이로 인해 다른 사람이 피해를 입게 되는 사례도 발생하기 때문이다.

표 1-6 연구부정행위 자가 체크리스트

구분	세부	내용	예	아니오
위조	1	연구수행 전 과정에서 존재하지 않는 데이터 또는 결과 등을 거짓으로 만들거나 기록한 사실이 없는가?		
변조	1	연구수행 과정에서 데이터 또는 결과 등을 임의적으로 사실과 다르게 변형, 삭제, 왜곡하여 기록한 사실이 없는가?		
표절	1	이미 발표된 타인의 독창적인 아이디어나 연구성과물을 활용하면서 출처를 정확하게 표기하였는가?		
	2	일반적 지식이 아닌 타인의 독창적인 개념, 용어, 문장, 표현, 그림, 표, 사진, 영상, 데이터 등을 활용하면서 출처를 정확하게 표기하였는가?		
	3	타인의 연구성과물을 그대로 쓰지 않고 풀어쓰기(paraphrasing) 또는 요약(summarizing)을 하면서 출처를 정확하게 표기하였는가?		
	4	외국어 논문이나 저서를 번역하여 활용하면서 출처를 정확하게 표기하였는가?		
	5	2차 문헌을 활용하면서 재인용 표기를 하지 않고 직접 원문을 본 것처럼 1차 문헌에 대해서만 출처를 표기한 적이 없는가?		
	6	출처 표기를 제대로 했으나, 인용된 양 또는 질이 해당 학문 분야에서 인정하는 범위 이내라고 확신할 수 있는가?		
	7	타인의 저작물을 여러 번 인용한 경우 모든 인용 부분들에 대해 정확하게 출처를 표기하였는가?		
	8	타인의 저작물을 직접 인용할 경우, 적절한 인용 표기를 했는가?		
부당한 저자 표기	1	연구에 지적 기여를 한 연구자에게 저자의 자격을 부여하였는가?		
	2	연구에 지적 기여를 하지 않은 연구자에게는 저자의 자격을 제외하였는가?		
	3	저자들의 표기 순서와 연구 기여도가 일치하는가?		
부당한 중복 게재	1	자신의 이전 저작물을 활용하면서 적절한 출처 표기를 하였는가?		
	2	자신의 이전 저작물을 여러 번 활용하면서 모든 인용 부분들에 대해 정확하게 출처 표기를 하였는가?		
	3	자신의 이전 저작물을 활용하면서 출처 표기를 제대로 했으나, 인용된 양 또는 질이 해당 학문 분야에서 인정하는 범위 이내라고 확신할 수 있는가?		
조사 방해	1	본인 또는 타인에 대한 연구 부정행위 조사를 고의로 방해하는 일은 없었는가?		
	2	제보자 또는 피조사자에게 위해를 가하는 일이 없었는가?		

* 모든 질문 항목에 대한 대답이 '예'가 되어야 함.

참고자료

1. 저자식별코드 생성(ORCID, https://orcid.org/)

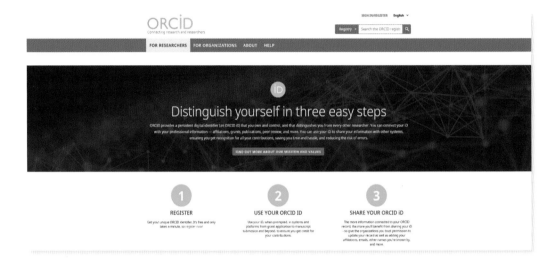

1) 한국어 전환

2) 소셜 계정으로 로그인

로그인

이메일 또는 16자리 ORCID iD

example@email.com 또는 0000-0001-2345-6789

ORCID 비밀번호

로그인

귀하의 패스워드 또는 **ORCID ID**를 잊으셨나요?

아직 ORCID iD가 없습니까? **ORCID iD** 등록

또는

🏛 기관을 통한 액세스

G **Google**로 로그인

2. MeSH (Medical Subject Headings)

PubMed에 대한 저널을 색인화하는데 사용되는 미국의학도서관(NLM)의 어휘집
(https://www.ncbi.nlm.nih.gov/mesh)

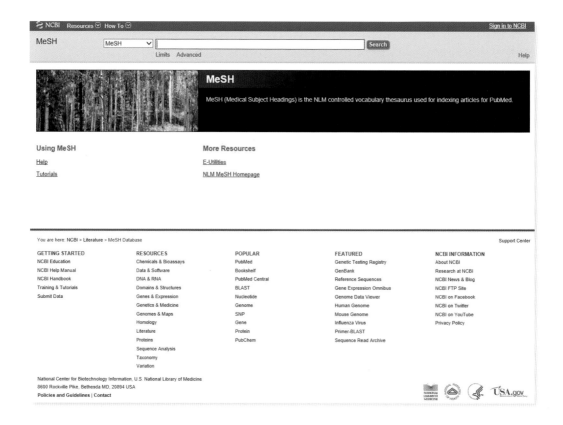

SNCBI Resources ⊙ How To ⊙   Sign in to NCBI

MeSH | MeSH   ∨ | dental hygienist | × | Search
                          Create alert Limits Advanced   Help

Full ▾   Send to: ▾   **PubMed Search Builder**   ▲

Dental Hygienists

Persons trained in an accredited school or dental college and licensed by the state in which they reside to provide dental prophylaxis under the
direction of a licensed dentist.
Year introduced: 1965

PubMed search builder options | Add to search builder | AND ∨
Subheadings: | Search PubMed |
                                                                                        You Tube Tutorial

☐ classification   ☐ history   ☐ standards   **Related information**   ▲
☐ economics   ☐ legislation and jurisprudence   ☐ statistics and numerical data   PubMed
☐ education   ☐ organization and administration   ☐ supply and distribution   PubMed - Major Topic
☐ ethics   ☐ psychology   ☐ trends   Clinical Queries

☐ Restrict to MeSH Major Topic.   NLM MeSH Browser
☐ Do not include MeSH terms found below this term in the MeSH hierarchy.

Tree Number(s): M01.526.485.067.105.376, N02.360.067.105.376
MeSH Unique ID: D003756   **Recent Activity**   ▲
Entry Terms: Turn Off Clear

 • Hygienist, Dental   📄 Dental Hygienists
 • Hygienists, Dental   MeSH
 • Dental Hygienist
                                                                        🔍 dental hygienist (1)
     All MeSH Categories   MeSH
        Persons Category
           Persons   🔍 dental hygenest (260)
              Occupational Groups   MeSH
                 Health Personnel
                    Allied Health Personnel   See more...
                       Dental Auxiliaries
                          Dental Hygienists   "dental hygienists"[MeSH
                                                                        Terms] OR dental hygienist
     All MeSH Categories   [Text Word]
        Health Care Category
           Health Care Facilities, Manpower, and Services
              Health Personnel
                 Allied Health Personnel | Search |
                    Dental Auxiliaries   See more...
                       Dental Hygienists

CHAPTER 2

연구문제

Reseach Methodology
for Dental Hygiene

치 위 생   연 구 방 법 론

02 연구문제

 ## 1. 연구문제 선정

　연구의 첫 단계는 연구문제(research question)를 선정하는 것이다. 연구문제를 선정하는 것은 연구자에게 가장 어려운 일인 동시에 중요한 일이다. 이는 '무엇을 연구할 것인가?'를 선정하는 것으로써, 연구문제의 선정은 연구의 절차와 방법을 결정하게 됨으로 전체 연구과정의 방향을 결정하게 된다. 무엇을 연구할 것인가에 대한 연구문제 설정이 명확하지 않으면 연구는 방향을 잃고 난황에 빠지게 될 수 있지만, 연구문제가 명확하게 설정되면 그 연구는 반 이상 이루어졌다고 해도 될 것이다. 연구문제란 '무엇을' 연구할 것인가에 대한 명백하고 간결한 표현으로 개념들 사이의 관계를 진술하는 것이다. 연구자는 관심 있는 영역을 선택하여 한 가지나 그 이상의 개념들, 연구대상과 연구환경 등을 설정하여 적절하게 개념들 사이의 관계를 진술해야 한다.

　연구문제 선정에서 중요한 것은 연구자의 계속적인 사고이다. 어떤 주어진 사건은 직접 관련된 주체자의 입장과 관찰자의 입장에 따라 서로 그 정의가 다를 수 있으며, 이러한 다양한 시각은 다양한 문제를 일으킬 수 있다. 따라서 연구문제를 탐색하는 과정에서는 다양한 시각, 풍부한 상상력이 요구되는데, 이를 위해서는 기존에 이미 실행되어진 연구에 대한 학습을 통해 그 능력을 키우는 것이 바람직하다.

　연구문제는 또한 주위 사람으로부터도 얻을 수 있으므로 연구자의 관심 있는 연구분야나 이에 대한 실현 가능성에 대하여 여러 사람들과 논의하는 것이 바람직하다. 결국 연구자의 사고에 따라 연구주제가 결정되지만, 다른 사람과 논의함으로써 연구자는 다양한 관점에서 연구문제를 바라볼 수 있게 된다.

 ## 2. 연구문제의 출처

　연구문제 선정은 연구의 첫 단계로 어렵고 중요한 과정으로 창의적이면서도 도전적인 과정이다. 관심분야에 대해 생각할 시간을 갖고 다른 연구자들과 토론을 하면서 관심주제를 구체화시켜 분명하게 할 필요가 있다. 연구 아이디어는 문헌고찰, 문화적인 관념과 대중의 인식, 정치적 관심사, 임상적 요구, 연구지원처에서 제시하는 주제로 얻어진다. 치위생 연구의 대상이 되는 연구문제는 연구자의 관심과 흥미, 치위생 실무 경험, 치위생 관련 문헌, 이론, 연구자와 동료 간의 상호작용 등을 통해 얻을 수 있다.

1) 연구자의 관심과 흥미

연구자는 공부를 하는 과정에서 일어나는 특정분야에 대한 관심과 흥미를 그 수준에서 머무르게 할 것이 아니라 구체적으로 의문을 제기하여 답을 얻으려는 노력을 게을리하지 말아야 한다. 일반적인 수준에서의 흥미와 관심을 보다 구체적이고 체계적으로 접근하려는 과학적인 접근자세가 필요하다.

2) 치위생 실무경험

치위생 실무는 연구를 통하여 일반화된 지식이나 이론을 근거로 수행될 때 전문직이라고 할 수 있다. 따라서 임상실무는 연구문제의 중요한 자원이 되는데, 이는 치위생 임상실무에서 정확한 해답이 내려지지 않은 질문이나 좀 더 나은 치위생 중재를 위한 방법을 발견하기 위해 여러 연구문제를 제시한다. 실제로 2000년부터 2020년까지 20여년 동안 일개 학회지에 수록된 치위생 연구논문을 보면 치과의료서비스, 구강건강실태, 감염관리, 치과위생사 직무만족, 스트레스, 이직 등 치위생 임상실무와 관련한 다수의 연구가 이루어졌다는 것으로도 확인할 수 있다. 치위생 실무와 함께 치위생 교육과 치위생 행정, 사회변화가 치위생에 미치는 영향 등도 치위생 문제의 근원이 된다. 예를 들면 치위생 교육의 변화, 치과위생사들의 역할수행과 영역개발, 치위생 실무에 있어 치위생 정보활용, 질병예방과 건강증진관리 등에 대한 연구가 증가하고 있다.

3) 치위생 관련문헌

학생이나 초보 연구자들은 어떤 문제를 연구해야 할까 막막할 때 치위생 전공분야에 관련된 교과서, 전문서적, 학술지, 학위논문 등을 읽으면서 아이디어를 얻을 수 있다. 저널이나 연구보고서 등을 고찰하면서 해결되지 않은 의문을 찾아내어 연구문제도 구체화할 수 있다. 또는 새로운 현상을 탐구하거나 더 세련화하고, 기존의 연구를 반복하는 것에 초점을 둘 수 있다. 연구자가 연구문제를 선택하기에 문헌연구만큼 바람직한 자원은 없다.

4) 이론

새로운 학설이나 이론은 연구문제의 출처가 된다. 새로운 이론의 사실여부를 검증하는 것 또한 중요한 출처가 된다. 이론은 어떤 사실이나 현상에 대한 추상적이고 일반화된 설명이므로 연구를 통하여 검증할 필요가 있다. 보건교육 이론 중 개인의 보건행동 변화 및 지속성을 설명하고 건강행동 중재의 가이드라인으로 사용된 건강신념모델(Health Belief Model, HBM)은 이동식 엑스레이 설비를 갖추어 놓고 무료로 결핵 검진 프로그램을 실시하였음에도 불구하고 해당 성인의 참여율이 지극히 낮았던 이유를 규명한 이래 유방조영 촬영술, 에이즈 예방 등에 있어 다양한 연구에 적용되어 검증되었다. 건강신념모델은 구강영역에 있어서도 전라북도 일부지역 모친의 구강진료이용에 영향을 미치는 요인에 관한 연구가 진행되었다. 또한 1951년 Cronbach α 신뢰도가 처음 제안되었을 때 이 이론에 대한 타당성연구가 활발하게 이루어졌었다.

5) 연구자와 동료 간의 상호작용

경험이 많은 연구자는 초보연구자들에게 연구에 대한 조언을 할 수 있다. 예를 들면 치위생 교육자는 학생들이 연구문제를 선정하는데 도움을 주고, 임상 치위생 연구자는 치위생 실무 상황에서 치과위생사가 연구과정에 어려움을 느낄 때 연구의 안내자 역할을 할 수 있다. 또한 경험이 많은 연구자나 초보연구자 모두 동료들과의 토론이나 의견에서 연구문제를 발견하거나 연구주제에 대한 자극을 받을 수 있다.

베버리지(Beveridge, 1950)는 다른 사람들과 연구주제를 토의하는 이유로 첫째, 두 명 이상의 사람들이 생각을 모으면 아이디어가 명확해지고 새로운 아이디어들이 생긴다. 둘째, 다른 사람들과의 상호작용은 연구자가 원인을 찾고 정보를 수집하는 과정에서 발생할 수 있는 오류를 찾아내도록 하며, 이러한 상호작용을 통해 힘든 시간들을 극복하게 된다. 셋째, 다른 사람들로부터 새로운 관점을 볼 수 있으므로 기존의 구태의연한 사고가 변화되기도 한다고 하였다.

6) 기존 연구의 반복과 확장 및 세련화

이미 연구된 결과와 일반화된 지식은 앞으로의 연구문제 설정에 영향을 준다. 즉, 어떤 연구문제는 기존의 연구문제를 반복하여 연구하거나 기존 연구에서 질문으로 남겨졌던 부분을 연구문제로 선택할 수 있다. 또한 어떤 연구문제는 기존의 연구문제 중에서 둘 혹은 그 이상의 문제들을 혼합하여 진술한 것도 있다.

7) 특징적인 연구들

어떤 시대에서 특징적인 사건이나 연구결과는 그 시대의 다른 학문과 연구들에 영향을 미친다. 즉, 획기적인 연구결과는 학문이나 사회적 환경에 영향을 주어 많은 부가적인 연구문제의 창출에 기초가 되며 새로운 지식을 생성하게 한다. 예를 들어 윌리암스(Wiliams, 1972)는 피부박리에 영향을 미치는 요인을 연구했는데, 이 연구에서 나온 결과들은 피부손상을 예방하기 위한 치위생을 하는데 중요한 영향을 끼쳤으며 또한 욕창 치료와 예방에 관한 부가적인 연구를 유도하였다.

3. 연구문제 선정 절차

연구문제는 논리적인 추론에 의해서나 직관, 우연한 기회에 발견할 수 있다. 그러나 연구문제는 이후의 연구단계인 연구설계, 자료수집 및 자료분석 방법의 결정에 가장 중요한 요소이므로 연구문제를 잘 설정해야 일관성 있게 연구를 진행시킬 수 있다. 따라서 연구문제를 선정하기 위한 절차를 알아보도록 한다.

1) 관심주제 결정

연구문제를 선정하는데 있어서 첫 번째는 관심주제를 결정하는 것이다. 연구문제는 대체로 연구자의 전공분야나 영역에 대한 관심에서부터 시작된다. 연구가 종결될 때까지 연구자의 관심을 유지할만한 연구문제는 연구자 주변 일상의 경험이나 전공분야에 대한 호기심을 가지는 것이다. 이러한 관심은 임상실무에 몰두하면서 떠오르는 질문들을 메모해두거나 매일의 실무경험에 대해 질문을 만들어 보는 것이다. 이렇게 만들어 놓은 연구자의 관심과 질문들은 문헌연구를 통하여 구체화시킬 수 있다.

2) 선행연구 고찰

두 번째는 관심주제가 결정되면 관련된 이론과 선행연구들을 검색하여 이론과 연구결과를 분석하고 관심주제에 대한 지식을 체계화할 뿐 아니라 관심주제에 대한 연구의 성향을 파악하여야 한다. 연구보고서는 종종 미래 연구를 위한 연구문제를 제시한다. 연구보고서를 읽으면서 연구자들은 연구결과에 대한 대안적인 해석을 생각하고 그 생각을 시험해 보고 싶을 수도 있다. 연구간행물과 학위논문들을 재검토함으로써 초보 연구자들은 관심 있는 분야에서 수행된 연구들에 대해 익숙해지게 된다. 연구 논문을 검토하는 것은 연구자가 흥미를 가지는 연구 관심분야를 확인하게 하고 이 분야에서 알려진 것들과 알려지지 않은 것들을 알도록 한다. 문헌에서 발견되는 지식적 결함들은 앞으로의 연구 방향을 제시한다. 또한 연구논문의 끝부분에서 연구자들은 종종 추후 연구에 대해 제언한다. 이러한 제언들은 다른 사람들이 이전 연구자의 업적을 기초로 연구설계를 하고 특정 선택된 분야에 대한 지식을 강화할 기회를 제공한다. 선행연구 고찰을 세심하고 면밀하게 하지 않으면 다른 연구자들이 시행한 연구를 반복하는 실수를 하게 될 수도 있다.

3) 연구문제의 도출

세 번째는 연구 가능한 연구문제를 도출하는 것이다. 선행연구와 이론에 대한 고찰이 이루어진 후 연구자는 기존의 연구결과들 간의 관계를 체계적으로 검토하고 각 연구의 문제점을 파악하여 자신의 연구를 통해 해결할 수 있는 가능한 연구문제를 찾아내는 것이다.

4) 연구문제의 선정

네 번째는 연구문제의 선정이다. 탐색된 연구문제들 중에서 연구문제 선정 기준에 따라 평가하여 최종적으로 연구자가 다룰 연구문제를 선정하게 된다. 연구문제 선정 기준은 연구문제의 신기성(novelty), 연구문제의 중요성뿐만 아니라 자료수집의 가능성과 연구에 필요한 비용과 시간 등 현실적인 요건이 포함된다. 연구문제는 신기성이 있어야 함은 물론 연구를 통해 얻어질 결과가 관련분야의 학문적 또는 실제적 기여를 할 수 있어야 한다. 또한 신기성과 중요성을 가진 연구문제라 하더라도 주어진 연구문제를 해결하기 위해 포함된 변인이 신뢰성과 타당성이 결여되어 있거나 정확한 자료수집이 불가능한 경우 등은 현실적인 자료수집의 가능성을 판단해 보는 것이 필요하다.

 ## 4. 연구문제의 평가

1) 연구문제의 유형(type of question)

연구문제가 기존의 치위생 지식체 내에서 만족할만한 연구결과를 얻을 수 있는 수준인지, 연구결과를 도출하는데 더 광범위한 지식을 필요로 하는 문제인지를 고려해 본다.

2) 연구문제의 중요성(significance)

연구문제가 치위생에 있어서 얼마나 중요하며 그 연구결과가 치위생 이론의 지식개발과 치위생 실무 발전에 얼마나 공헌할 수 있을 것인지를 생각해 본다. 잠재적 연구문제의 중요성을 평가하기 위해 다음과 같은 질문을 할 수 있다. ① 문제는 의미가 있는가? 즉, 지식체 개발에 도움을 주며 임상실무에 공헌할 것인가? ② 결과들은 실무에 광범위하게 적용되거나 또는 이론적 지식개발에 기여하는가? ③ 누가 연구결과에 관심을 가지는가? ④ 연구결과가 다른 구강건강관련 전문가들에게 흥미로울 것인가? ⑤ 이론적인 타당성이 있는가? ⑥ 그 결과가 아직 검증되지 않은 가정에 도전할 만한 것인가? 이상과 같은 질문을 통해 연구문제의 중요성은 반드시 검토되어야 한다. 연구문제의 중요성을 인정할 수 없는 연구문제는 연구할 필요가 없다.

3) 연구 가능성(researchability)

연구문제가 과학적 탐구를 통해서 연구될 수 있는 문제인지를 평가해야 한다. 철학적 질문이나 도덕적, 윤리적 속성이 강한 문제는 과학적 방법으로 연구하기에는 한계가 있다. 또한 연구문제에 관련된 변수들이 명확하게 정의되고 측정될 수 있는 것이어야 연구가 가능하다.

4) 연구의 수행 가능성(feasibility)

연구하기에 충분한 시간이 확보될 수 있는지, 연구에 참여할 대상자를 확보할 수 있는지, 연구를 수행하기 위해서 다른 사람이나 기관의 협조를 받을 수 있는지, 연구를 하기 위해 적절한 시설과 기구를 이용할 수 있는지, 예산이 충분한지, 그 연구를 하기 위한 연구자의 경험이 풍부한지, 윤리적 문제가 없는지를 고려한다.

 5. 연구문제의 진술

연구문제를 설정한 후 연구자는 연구문제를 명확하게 진술해야 한다. 연구문제는 일반적이고 광범위한 연구주제(research topic)와 동의어가 아니며 구체적 연구목적과 관련되어 있지만 동일한 것도 아니다. 연구문제는 해결방법이 설명되거나 예측되기 위한 하나의 상황이나 환경을 말한다. 반면 연구의 목적은 해결해야 할 문제가 아닌 연구의 특정 목적이나 목표를 통해 성취되어야 하는 것을 나타내는 것이다. 예를 들면 임상에 근무하는 치과위생사는 치과 의료서비스에 따른 환자의 만족도로 고심을 할 수 있다. 일반적인 관심주제 영역으로 치과 의료서비스에 대한 질문으로 '환자의 만족도를 높이기 위해 전화서비스는 진료예약 전과 진료 후 언제가 적당한가?' 이 질문에 대한 연구를 위해 구체적인 연구목적은 '환자의 만족도를 높이기 위해 진료예약 전 전화서비스와 진료 후 전화서비스를 제공한 경우 그 차이점은 무엇인가?' 〈표 2-1〉과 같이 연구목적은 연구문제를 위한 기초가 된다.

표 2-1 **주제, 문제, 목적 간의 관계**

주제	문제	목적
치과의료서비스	전화서비스와 환자만족도	진료예약 전 전화서비스와 진료 후 전화서비스가 환자 만족도에 미치는 영향

연구문제를 진술하는 방법은 다양하지만 문제 진술은 연구자의 사고에서 시작하여 연구질문을 제시하고 해결방법이 필요한 영역을 인식한다. 문제진술은 가능한 의문문의 형식으로 분명하고 명확하게 진술하며, 변인과 변인 간의 관계로 진술한다. 진술된 각 변인은 측정 가능하고, 변인간의 관계가 경험적으로 해결 가능하게 진술되어야 한다. 일반적으로 연구문제는 의문문과 서술문의 두 가지 형식으로 할 수 있다. 킬링거(Kerlinger, 1988)는 의문문 형식이 서술문으로 기술하는 것에 비해 연구문제를 분명하게 제시할 수 있기 때문에 의문문 형식으로 제시할 것을 권장하고 있다.

표 2-2 **연구문제 진술의 예**

진술 형식	문제 진술의 예
의문문	• 치위생 과정의 거래적, 변화적 리더십 유형과 수석치과위생사의 직무만족 간에는 어떤 관계가 있는가? • 유아기 어머니의 구강보건교육 프로그램이 유아에게 미치는 영향은 무엇인가?
서술문	• 치위생 과정의 거래적, 변화적 리더십 유형과 수석치과위생사의 직무만족도와의 관계를 알아보기 위한 것이다. • 유아기 어머니의 구강보건교육 프로그램이 유아에게 미치는 영향을 파악한다.

이것은 모두 연구변수와 연구대상, 연구환경을 설명하는 것으로 연구자의 선입견이나 가치관이 개입되지 않도록 객관적으로 서술되어야 하며, 명확하고 간결할수록 연구수행 가능성을 높일 수 있다.

6. 연구의 개념틀 구성

연구의 개념화는 주제에 대한 아이디어로부터 시작된다. 주제에 대한 아이디어는 연구자가 문제를 진술하고 주제에 관하여 기존문헌을 조사함으로써 구체화된다. 개념틀은 연구의 구체적인 목적을 달성하기 위한 연구계획과 단계설정의 방향을 제공하며, 가정들을 명확히 하기 위해 관련 없이 산만하게 흩어져 있는 정보를 통합한 것이다. 또한 이것은 연구계획에 포함된 변수들간의 관계를 제시하고 연구목표의 의미를 명확히 한다. 개념틀은 추상적인 개념과 구체적인 연구 질문 사이의 관계를 제공하고 자료들을 통합한다.

1) 개념틀의 구성요소

개념(concept)은 실제 세계를 묘사하기 위한 추상적인 방법이다. 개념이 관찰 가능하고 측정 가능한 특징들로 한정될 때 구성개념(construct)이 된다. 개념틀은 관계적 진술이나 가정에 의해 연결되는 개념들로 구성되며, 이러한 개념들은 연구조사의 핵심을 정의하고 연구될 현상의 조직적인 이미지를 제공한다. 구성개념은 측정 가능한 특징을 가진 개념이다.

2) 개념틀의 기능

개념틀은 연구에서 3가지 중요한 기능을 제공한다. ① 연구에서 다루는 개념을 명확히 한다. ② 연구의 기초가 되는 가정들을 확인하고 명확히 제시한다. ③ 개념들 사이의 관계를 구체화한다.

3) 개념틀의 공식화

연구자는 개념틀을 공식화함으로써 연구개념들을 제시하고 개념들 사이의 관계와 연구목적, 기대되는 결과를 명확히 한다. 개념틀을 공식화하기 위한 첫 단계는 개념들을 제시하는 것이다. 개념은 대상의 범위와 상태에 관한 일반적인 관념이다. 개인의 느낌, 가치, 사고방식, 인지에 따라 개념은 다르게 정의된다. 개념은 연구과제로부터 도출되며 그로부터 조사를 위한 특정 변수들이 정의된다. 개념들을 연결하는 방법은 연구자의 상상에 의해 제안된다. 개념들 사이의 관계를 강화하기 위한 방법은 개념이 어떻게 조합될 수 있는지에 대한 그림을 그려보는 것이다. 이때 제안된 개념 간의 관계가 이치에 맞는지? 현재의 지식이 이러한 관계를 지지하는지? 아직 밝혀지지 않은 관계가 있는지? 제시한 질문들이 연구자가 창의적으로 개념틀을 설계하도록 돕는지?를 확인하는 것이 중요하다.

4) 연구에서의 개념틀 기술

연구에서 사용되는 개념틀은 연구자가 의미하고자 하는 개념 간의 관계를 명백하게 보여준다. 개념틀은 개념들 간의 관계를 포함하며, 지식의 현재 수준에서 불완전하거나 모호한 영역들이 무엇인지 명확히 하고 핵심적인 개념들을 가져오기 위해 참고문헌을 이용한다. 선행된 연구의 결과는 개념 간의 관계 혹은 개념과 관련된 현상과 상태에 대해 알려진 것들이 무엇인지 설명하기 위해 사용된다.

논리적으로 개발된 개념틀은 검증될 수 있어야 하고 개념들은 명확해야 한다. 관계가 설정된 가정들도 명확해야 한다. 만약 연구자가 제시하는 개념 간의 관계를 지지하는 지식이 부족하다면 개념틀은 개념 간의 관계설정에 대한 논리적 기초를 명확히 제시해야 한다. 연구자는 개념들 사이의 가정된 관계를 도식화해서 보고서에 포함시킬 수도 있다. 개념틀을 명확히 서술하기 위해 연구자는 개념 확인과 창의적인 관계기술에 대한 연습이 필요하다.

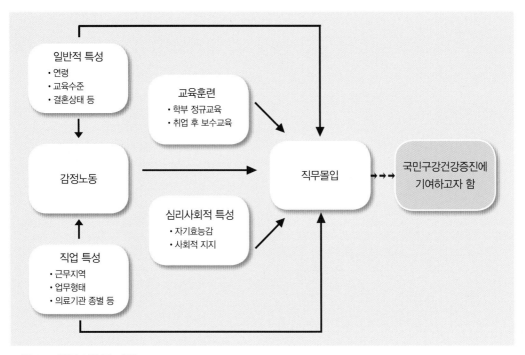

그림 2-1 **연구모형 틀 예시**

출처: 정다이. 치과위생사의 감정노동, 교육훈련 심리사회적 특성이 직무몰입에 미치는 영향. 연세대 석사학위논문, 2014.

CHAPTER 3

가설설정

Reseach Methodology for Dental Hygiene
치 위 생 연 구 방 법 론

1. 가설의 정의

사회현상이나 자연현상, 그리고 보건의료 현장에 존재하는 여러 가지 현상에 대한 연구를 진행할 때, 연구결과의 의미에 대해 판단을 하게 되는 경우가 많다. 대부분의 양적연구에서 통계학의 특성상 모집단이 가지고 있는 속성, 즉 확실히 알지 못하는 것에 대한 사실을 표본에서 얻은 통계 값을 가지고 판단해야 하기 때문에 연구자는 미리 자신의 연구문제에 대해 '어떤 현상은 ~일 것이다' 또는 '어떤 현상은 ~가 아닐 것이다'라고 잠정적인 진술을 설정하게 되는데 이것을 '가설'이라고 한다. 즉, 가설이란 연구문제에 대한 연구자의 잠정적인 결론이라고 할 수 있는 것이다.

커크(Kirk, 1982)는 '가설이란 어떤 사실을 설명하기 위하여 잠정적으로 적용되며 다른 연구를 유도하므로 검정 가능한 상상적 추측'이라고 했고, 굿(Good, 1980)은 '가설이란 연구를 이끄는 개념으로서, 잠정적 설명이거나 혹은 가능성을 설명한 것'이라고 했다. 즉, 과학적 연구에서는 연구문제를 가설의 형태로 바꾸고 설정된 가설을 자료수집과 분석을 통해 경험적으로 검증하여 가설을 지지, 또는 기각함으로써 문제의 해답을 얻게 되는 과정을 밟는다. 그러므로 가설이란 '연구문제에 대한 잠정적인 해답', '둘 또는 그 이상의 변수들 간의 관계에 대한 연구자의 기대를 진술한 것', '특정한 값을 모수의 값으로 가정하는 것'으로서 연구의 전 과정을 안내하는 중요한 역할을 한다.

가설의 특징을 세 가지로 정리해 보면, 첫 번째 특징은 두 개 이상의 변수 사이에 예측되는 관계의 진술이다. 주로 독립변수(X)와 종속변수(Y) 사이에 체계적인 관계가 있음을 나타내며, 예측되는 관계의 방향도 구체적으로 제시된다. '보다 더', '보다 덜', '양의 관계', '음의 관계', '곡선의 관계', '차이가 있다'와 같은 어구를 사용하여 방향성을 나타낸다. 예를 들면 '구강보건실천율은 구강보건교육을 받지 않은 집단보다 구강보건교육을 받은 집단에서 보다 유의하게 높을 것'이다.

두 번째 특징은 검증 가능성이다. 즉, 변수들은 연구에서 관찰되고, 측정되고, 분석되기에 적합해야 한다. 가설은 지지될 수 있고, 지지되지 않을 수도 있다. 가설에 의해 제안된 예상되는 결과는 실제 연구결과와 일치할 수도 있고 그렇지 않을 수도 있다. 가설이 가치

판단적인 용어로 쓰였거나, 결과를 예측할 수 없거나, 변수를 관찰하거나 측정할 수 없다면, 가설의 검증가능성을 만족한다고 보기 어렵다.

세 번째 특징은 이론기반이다. 가설은 이론을 확인하거나 부정함으로써 과학적 지식을 발전시킨다. 바람직한 가설은 기존의 이론이나 연구결과와 일치한다. 문헌고찰이나 임상적 관찰을 통해 만들어진 가설은 과학적, 경험적으로 논리적이어야 한다. 연구 아이디어에서 연구질문, 문헌고찰, 이론적 틀을 통해 가설로 이어지는 논리적 사고의 흐름이 확인되어야 한다.

가설분석 시 몇 가지 기준이 있으며, 다음의 기준은 가설평가 시 참고할 수 있다.

① 가설이 분명하게 기술되어 있는가?
② 가설의 방향성에 따라 자료분석이 계획되었는가?
③ 가설은 문헌고찰과 이론 틀과 맥락을 같이 하는가?
④ 가설의 제시된 방향성이 적절한가?
⑤ 가설은 검증이 가능한가?
⑥ 가설이 객관적으로 진술되었는가? 가치판단적인 단어는 없는가? 가치판단적인 가설은 실증적으로 검증할 수 없다. 수치화할 수 있는 난어가 객관성과 검증가능성을 나타낸다.
⑦ 가설에서 변수의 관계를 표현하는 방법이 연구설계의 유형을 보여주고 제시된 설계유형이 연구수행과 얻어지는 근거수준에 적절한가?

2. 가설과 연구문제의 차이점

연구를 진행하는 연구자는 제일 처음 연구문제를 선택해야 한다. 즉, '무엇을 연구할 것인가'를 결정하는 과정에서 연구가 시작되는 것이다. 일단 연구문제가 선택되고 그것에 대한 평가가 이루어지고 나면 자신이 선택한 연구문제를 다른 사람들과 의사소통하기 위해 연구문제를 진술하는 과정을 밟게 된다. 가설은 연구문제에 근거아어 실징되므로 연구문제나 연구목적이 없이는 가설이 설정될 수 없다.

연구문제와 가설은 연구의 방향을 제시해 준다고 하는 면에서 깊은 관련성이 있으나 이 두 개념은 분명한 차이가 있다. 때때로 연구의 초심자들은 진술된 연구문제와 가설 간의 차이점을 구분하는 데 어려움을 느낄 수 있는데, 연구문제는 연구자가 무엇을 하려는 것인지를 나타내는 것으로 관찰하여 밝히고자 하는 것, 즉 관찰하고자 하는 대상과 제기된 의문을 해결하도록 하는 것이다. 가설은 이에 반해 그 같은 의문에 대한 진위를 경험적 검증방법에 준하여 해답을 추구하는 것이다. 여기서 경험적 차원이라는 것은 이론적 차원과 대비되는 개념으로 가설 속에 설정되어 있는 변수를 직접 측정해 볼 수 있다는 것을 의미한다. 다시 말해 연구과정을 통해 직접 측정되어 그 진위를 판명할 수 없는 가설은 연구가설로서의 가치가 없다고 할 수 있다. 보다 분명한 이해를 위해 연구문제와 가설의 일례를 제시하면 다음과 같다.

● 연구문제진술

당뇨환자를 대상으로 한 구강보건교육이 당뇨환자의 구강관리수행정도에 영향을 미칠 것인가?

● 연구가설

구강보건교육을 받은 당뇨환자는 구강보건교육을 받지 않은 당뇨환자보다 구강관리수행 정도가 더 높을 것이다.

연구에서 가설을 설정하는 이유는 첫째, 주어진 연구문제에 대한 보다 정확한 해답을 얻고자 하는데 있다. 가설이 없이 어떤 현상을 관찰할 경우 연구자의 상식이나 편견이 개입될 여지가 크다. 반면 가설을 설정하면 연구과정에서 연구의 초점이 무엇인지를 명확히 하게 되고, 이를 통해 연구자는 방향감을 잃지 않고 통제된 관찰을 통해 이를 검증함으로써 연구문제에 대한 답을 구하는 것이 보다 과학적인 방법이기 때문이다.

둘째, 연구문제를 가설의 형태로 바꾸지 않고 직접적으로 해답을 제시하는 것은 사실상 불가능하다. 즉, 의문문 형식의 연구문제를 직접 검증하는 것은 불가능하기 때문에 먼저 가설을 세우고 그에 대한 관찰을 통하여 가설의 검증을 함으로써 문제를 간접적으로 해결할 수밖에 없다는 것이다.

📊 3. 가설의 종류

연구에 사용되는 가설은 영가설과 대립가설로 구분하며, 서술된 형태에 따라 서술적 가설과 통계적 가설로 구분한다. 또 가설에 부등호가 존재하는지 여부에 따라 등가설과 부등가설로 구분한다. 이 중 연구를 진행함에 있어 가장 중요한 개념은 영가설(H_0)과 대립가설(H_1)이다.

1) 영가설(null hypothesis, H0) vs 대립가설(alternative hypothesis, H1)

연구결과의 의미에 대해 연구자가 판단을 내릴 때 항상 옳은 판단만을 하는 것은 아니다. 옳지 않은 판단을 하게 될 경우 '판단의 오류'를 범했다고 하며, 연구자는 연구결과에 대한 판단착오 중에서 심각한 판단의 착오를 최소화해야 하므로 가설을 설정할 때 심각한 판단의 착오를 범할 때 진실인 내용을 영가설(H_0)로 설정하게 된다.

> 제약회사 A가 기존에 사용되던 혈압약과 가격은 동일하면서 약효가 훨씬 더 훌륭한 약을 개발했다. 약을 개발한 후 A제약회사의 관심사는 새로 개발된 약이 기존에 사용하던 약만큼 환자들에게 안전한 약인가 하는 점이었다. 따라서 이에 대한 판단을 위해 동물실험 연구를 하기로 하였다.

이 경우 판단의 착오는 두 가지 경우에 존재하게 된다.

첫 번째 경우는 새로 나온 약이 기존의 약보다 안전성이 떨어지는데도 불구하고 동일한 정도의 안정성을 가지고 있다고 판단하는 경우이고, 두 번째 경우는 새로 나온 약이 기존의 약과 동일한 안전성을 가지고 있음에도 불구하고 기존의 약보다 안전성이 떨어진다고 판단하게 되는 경우이다.

두 가지 판단착오의 경우에서 보다 심각한 착오는 어느 경우인가? 그 해답은 그 결과의 심각성을 비교해보면 해답을 얻을 수 있다.

첫 번째 경우, 많은 병원과 의사들이 사실은 안전성이 떨어지는 위험한 약으로 기존에 사용되던 약을 대체할 것이다. 이 경우 신약을 투여 받은 환자들은 기존의 약보다 훨씬 심각한 부작용 등을 경험할 위기에 놓일 수 있다.

두 번째 경우, 많은 병원과 의사들은 기존의 약이 가격과 안전성이 동일하면서 약효는 훨씬 우수한 신약으로 기존의 약을 대체하지 못하게 되는 결과를 가져올 것이다. 따라서 환자들은 동일한 비용을 지불하고도 약효는 떨어지는 약을 계속 투여 받게 된다.

위의 두 가지 경우에서 어떤 경우가 더 심각하게 나쁜 결과인지는 개인에 따라 이견이 있을 수도 있겠으나 대부분은 첫 번째의 경우가 두 번째 경우보다 더 심각히 나쁜 결과라는데 동의할 것이다. 두 번째 경우는 현 상태에서 더 악화되지는 않지만 첫 번째 경우는 현 상태에서 더 나쁜 쪽으로 결과가 발생할 수도 있기 때문이다.

따라서 더 심각한 경우, 즉 새로 개발된 약이 기존의 약보다 안전성이 떨어지는데도 불구하고 동등한 정도의 안전성을 가진다고 판단한 판단오류의 경우, 진실(여기서는 '새로 개발된 약이 기존의 약보다 안전성이 떨어진다는 것')이 영가설이 되어야 하는 것이다.

영가설과 반대되는 개념, 즉 영가설이 부정되었을 때 진실로 남게 되는 잠정적 진술을 영가설과 대립된다는 의미에서 대립가설이라고 한다. 일반적으로 연구에서 대립가설은 연구자가 연구를 통해 주장·증명하고자 하는 내용이 되기 때문에 연구가설이라고도 한다. 즉, 위에 제시했던 예에서 A제약회사는 연구를 통해 신약이 기존의 약과 동등한 안정성을 가진다는 사실을 증명해내고 싶어 할 것이다. 이렇게 영가설과 대립가설은 서로 반대 위치에 존재한다.

통계학의 특성상 연구자의 연구목적은 영가설이 기각되는지의 여부를 결정하는데 있으며, 영가설이 기각되기까지는 잠정적으로 영가설이 사실인 것으로 가정한다. 영가설이 진실로 판단되는 경우, 즉 연구자가 진실이기를 기대하는 대립가설이 진실이 아닌 것으로 판단되는 경우에 연구자의 기대가 무위로 돌아가기 때문에 영가설을 귀무가설이라고 부르기도 한다.

2) 서술적 가설(descriptive hypothesis) vs 통계적 가설(statistical hypothesis)

가설을 어떤 형태로 표현했는지에 따라 서술적 가설과 통계적 가설로 표현할 수 있다. 영가설과 대립가설은 모두 서술적 가설, 또는 통계적 가설로도 표현할 수 있다.

서술적 가설은 연구자가 검정하고자 하는 영가설이나 대립가설 모두를 언어에 의해서만 표현한 것이고, 통계적 가설은 서술적 가설을 어떤 기호나 수에 의하여 표현한 가설을 일컫는다.

B병원 치위생팀은 구강보건교육이 당뇨환자들의 구강관리 수행 정도에 영향을 미치는지에 대해 관심을 가지고 연구를 시행하게 되었다. B병원 치위생팀이 연구를 통해 주장하고자 하는 바는 구강보건교육을 받은 당뇨환자들과 교육을 받지 않은 환자들의 구강관리수행 정도 간에는 차이가 있다는 것을 쉽게 예측할 수 있다. B병원은 구강보건교육 대상인 환자를 a, b 두 집단으로 나누고 a집단은 구강보건교육을 실시하지 않고, b집단은 구강보건교육을 실시한 뒤 구강관리수행 정도를 사정하는 연구를 진행하기로 했다.

여기서 B병원 치위생팀이 진행하는 연구의 영가설과 대립가설을 서술적 가설과 통계적 가설로 표현하면 다음과 같다.

(1) 서술적 가설

H0: 구강보건교육을 받은 환자들의 구강관리 수행 정도와 구강보건교육을 받지 않은 환자들의 구강관리 수행 정도는 서로 차이가 없다/서로 같다.

H1: 구강보건교육을 받은 환자들의 구강관리 수행 정도와 구강보건교육을 받지 않은 환자들의 구강관리 수행 정도는 차이가 있다/같지 않다.

(2) 통계적 가설

H0: $\mu_1 = \mu_2$

H1: $\mu_1 \neq \mu_2$

3) 등가설 vs 부등가설

영가설이나 대립가설에 부등호가 있는 경우, 즉 크기나 정도, 양의 대소비교에 대한 의미를 포함하는 경우를 부등가설이라고 부르고, 부등호가 없는 경우, 즉 그저 같은지 다른지에 대한 의미만을 포함하는 경우를 등가설이라고 부른다. 통계적인 검정절차상 부등가설은 단측검정(one=tailed test)을 거쳐 검정이 이루어지게 되므로 양방적 가설이라고도 부른다.

앞서 B병원 치위생팀의 연구에 대한 예시에서처럼 대립가설이 '구강보건교육을 받은 집단의 구강관리 수행 정도와 구강보건교육을 받지 않는 집단의 구강관리 수행 정도 간에는 차이가 있다/같지 않다.'로 등가설로 설정을 한 경우이며, 구강보건교육을 받은 집단이 구강보건교육을 받지 않은 집단보다 구강관리 수행 정도가 높을 경우와 낮을 경우의 두 경우를 모두 포함한다. 이 경우 구강보건교육을 받은 집단이 그렇지 않은 집단보다 오히려 구강관리 수행 정도가 더 높은 것으로 나오는 경우도 대립가설이 지지되게 되는 결과를 가져온다.

그러나 만일 대립가설을 '구강보건교육을 받지 않은 집단보다 구강보건교육을 받은 집단이 구강관리 수행 정도가 더 높다'라고 설정($\mu_1 \rangle \mu_2$)한다면 부등가설을 설정한 것이며, 구강보건교육을 받은 집단이 그렇지 않은 집단보다 구강관리 수행 정도가 높을 경우의 의미만을 포함한다.

보통 등가설을 설정해 양측 검정을 할 것인지 아니면 부등가설을 설정해 단측 검정을 할 것인지는 연구자의 이론적 혹은 경험적 배경에 의해 결정되며, 이론적 배경이 강할 때 일방적 검정을 실시하게 되고 일방적 검정이 보다 강력한(powerful) 연구가 된다고 할 수 있다.

CHAPTER 4

문헌고찰

Reseach Methodology for Dental Hygiene

치 위 생 연 구 방 법 론

문헌고찰

 ## 1. 문헌고찰의 목적

문헌고찰이란 연구문제와 관련된 선행 문헌을 체계적으로 찾아내어 읽고, 비판적으로 검토하고, 요약하는 과정으로 과학적 연구에서 표준이 되는 필수적인 활동이다.

치과위생사는 연구를 직접 수행하기 전에 연구하려는 영역에서 이미 출판된 문헌에 대한 정보를 입수해야 한다. 기존 문헌을 검토함으로써 자신의 연구에 대한 사전지식을 넓힐 수 있으며, 보다 안전하고 효과적으로 연구를 진행할 수 있다. 자신이 설계하고 있는 연구와 다른 방법이나 입장을 비교하기 위해서도 그 영역의 문헌을 고찰하는 것이 필수적이다. 따라서 문헌고찰은 단순히 '문헌고찰' 또는 '참고문헌'이라는 제한된 범위의 사용이 아니라 연구과정에 전반적으로 필요한 절차라고 할 수 있다.

최근 연구된 문헌을 읽으면서 연구 주제의 흐름과 방향은 어떻게 할 것인지, 어디까지 연구가 진행되었는지, 앞으로 연구 가능한 주제가 무엇인지, 자신이 연구하고자 하는 주제가 이미 발표되었는지 등을 확인할 수 있다. 또한 발표된 연구주제와 다른 분야와의 접목 가능성, 해당 연구주제의 향후 전망 등의 식견을 기를 수 있다. 만약 충분한 문헌고찰이 이루어지지 않은 경우 주관적이고 단편적인 지식만을 가지고 연구를 수행하는 오류를 범할 수 있다.

연구과정에서 문헌고찰을 하는 주된 목적은 다음과 같다.

① **연구에 대한 착상의 출처가 된다.**
관심영역에서 수행된 문헌고찰은 연구문제에 대한 착상을 돕고, 또한 연구문제의 설정과 명료화를 돕는다. 학회지 등에 발표되는 많은 연구는 후속 연구과제에 대해 언급하고 있으므로 연구자들이 새로운 주제를 고안하는데 도움이 된다.

② **연구하려는 주제에 대해 이미 알려진 정보를 파악한다.**
연구자에게 해당분야에서 지금까지 알려진 지식을 확인하게 하고, 그 결과 불필요한 연

구의 반복을 최소화한다.

③ 연구에 대한 이론적 기틀을 마련한다.

연구를 위한 이론적 기틀을 제공하고, 그 결과 과학적 지식의 축적을 촉진한다.

④ 기존의 연구방법을 통해 본인의 연구주제에 맞는 연구방법을 모색한다.

기존 연구들이 어떤 대상에게 어떠한 연구방법과 절차로 진행하였는지 알게 됨으로써 자신이 계획하는 연구에 대한 통찰력을 얻는다. 연구자는 자신의 연구와 관련하여 연구설계, 특정중재방법, 자료수집 절차, 측정도구, 통계분석방법에 대한 구체적이고 유용한 정보를 얻을 수 있으며 효율적인 방법을 선택할 수 있다.

⑤ 연구를 시행하며 발생할 수 있는 시행착오를 줄인다.

기존 연구의 제한점을 확인하여 연구를 진행하는 과정에 발생한 문제점이나 단점을 참고함으로써 문제점을 미연에 방지한다.

 2. 문헌고찰의 우선순위

문헌고찰의 우선순위에 대해서 아직 정해진 답은 없다고 할 수 있다. 그러나 크레이스웰(Creswell, 1994)은 가장 먼저 고찰해야 하는 문헌으로 연속적으로 간행되는 저널의 연구논문을 들었다. 저널의 연구논문은 대개 책에 비해 최근에 출간되어 새로운 정보를 알려주며, 연구수행을 체계적으로 제시하므로 전문가의 의견을 다룬 종설보다 더 가치가 있다고 할 수 있다. 문헌을 고찰할 때에는 연구주제와 관련된 가장 최근의 연구논문을 고찰한 후 점차적으로 시간을 거슬러 올라가면서 고찰할 것을 권장하며, 다음으로 주제와 관련된 책을 고찰한다. 그리고 최근에 학회에서 발표된 연구들을 검토하여 가장 최근의 연구결과에 대한 정보를 얻고 마지막으로 관련된 학위논문을 고찰할 것으로 권장한다.

3. 문헌고찰의 범위

1) 문헌의 출처

(1) 1차 문헌(primary source)

일차 문헌이란 연구를 수행한 사람이 직접 작성한 서술을 말한다. 본인이 직접 자료를 수집하여 발표한 논문을 말하며, 이론의 경우에는 이론을 개발한 이론가가 직접 작성한 것을 말한다.

치위생과학회지나 한국치위생학회지와 같은 학회나 학술단체에서 발행하는 학술지 등이 1차 문헌에 해당된다. 이외에도 학위논문이나 여러 연구기관의 보고서도 1차 문헌에 속한다. 1차 문헌은 연구자가 연구 진행과정과 결과를 기록한 보고서이므로 구체성과 과학성을 지니고 있어 많은 연구자들이 세부적인 연구내용을 참조하기 위하여 활용된다. 특히 새로운 주제에 대한 연구를 시행하는 연구일수록 1차 자료에 대한 의존도가 높다.

(2) 2차 문헌(secondary source)

이차 문헌이란 본래의 연구자가 아닌 다른 사람이 작성한 서술로 원저자의 글을 다른 사람이 인용하거나 문헌고찰한 부분을 말한다. 즉, 직접 연구를 수행하지 않은 사람에 의해 쓰여진 문헌이다. 예를 들어 매슬로(Maslow)의 욕구계층을 검정하는 논문을 매슬로 이외의 다른 저자가 논문에 인용하거나 교과서에 사용한 경우이다. 따라서 대표적인 2차 문헌은 교과서나 책이다. 2차 문헌의 장점은 다양한 이론을 소개하고 있어 연구주제에 대한 기초지식을 쉽고 광범위하게 얻을 수 있다는 것이다. 그러나 일반적으로 1차 문헌을 더 높게 평가하는데, 그 이유는 2차 문헌에서는 원저자의 글을 다른 사람의 관점에서 해석한 것을 인용함으로 인해 가끔씩 아이디어의 왜곡이 발생할 수 있기 때문이다. 따라서 가능하면 1차 문헌을 이용하는 것이 바람직하며, 부득이 1차 문헌을 이용할 수 없을 때에는 2차 문헌을 이용하였음을 밝혀야 한다.

2) 문헌고찰을 위한 시간

문헌고찰을 위해 필요한 시간은 연구하고자 하는 문제, 이용 가능한 출처, 연구자의 목표, 연구자의 노력 정도에 의해 영향을 받는다. 연구하고자 하는 초점이 적을수록, 이용가능한 문헌의 수가 많을수록, 연구자의 목표가 정해진 시간 내에 연구를 수행해야 하는 것일 경우 시간은 적게 소요된다.

 ## 4. 문헌고찰의 진행과정

문헌고찰의 진행과정은 〈그림 4-1〉과 같이 잠정적 문헌을 규명하고, 그 문헌을 찾는다. 찾은 문헌이 내가 보고자 하는 연구와 관련성이 있는지 적절한지 검토한다. 이 과정에 관련되지 않은 부적절한 문헌은 버린다. 그리고 관련된 문헌은 읽고 정리한다. 문헌을 조직하고 분석 및 통합한다. 마지막으로 문헌고찰을 진술한다.

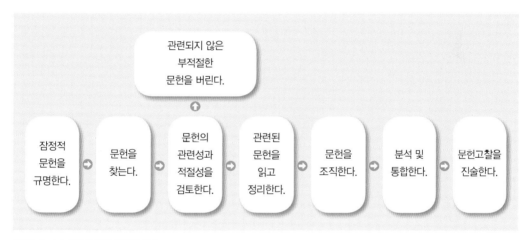

그림 4-1 **문헌고찰의 진행과정**

1) 문헌을 찾는 방법

문헌고찰을 효율적으로 하기 위해서는 원하는 정보를 적절히 찾을 수 있어야 한다. 현대 사회에서 원하는 정보를 찾기 위한 가장 편리한 방법은 인터넷 검색이라고 할 수 있으며, 보다 효율적으로 문헌을 찾기 위해서는 유사어, 부제목(subheading) 등을 확인하여 주요 주제를 명확히 하고, 구체화시키는 과정이 필요하다.

인터넷 검색이란 인터넷을 이용하여 참고문헌을 찾는 것으로, 완전한 도서목록 정보를 제공해주고 논문도 제공해주므로 연구자의 시간과 노력을 절약할 수 있다. 전 세계의 정보를 하나의 네트워크로 묶는 인터넷의 특성으로 인해 하나의 키워드에 수 천, 수 만개의 자료가 검색되고 있으며, 여러 개념을 함께 연결하여 문헌을 추적할 때 유용하다. 예를 들어 '성인'과 '구강'을 입력하면 이와 관련된 문헌을 손쉽게 찾을 수 있다.

2) 문헌 자료 검색

일반적으로 문헌검색을 위해 검색원을 선정할 때 미국국립의학도서관(National Library of Medicin, NLM)이 제시한 COSI (COre, Standard, Ideal) 모델을 사용한다. 이 중 COre는 문헌 검색의 핵이 되는 부분으로, 관련 국내 문헌, 핵심 데이터베이스 등이 해당된다.

(1) 국내

① COre 검색 데이터베이스

기관/저널명(약어)	유료/무료	url	설명
한국의학논문 데이터베이스 (KMbase)	무료	https://kmbase. medric.or.kr/	국가지정 의과학연구정보센터(MedRIC)에서 운영. 의학, 간호학, 치의학, 보건학 등에서 발간되는 저널과 해외저널에 발행되는 한국 연구자의 논문정보를 제공하는 보건의료분야 학술 데이터베이스. 저널의 서지, 초록 및 원문 데이터베이스
KoreaMed	무료	https://www. koreamed.org/	대한의학학술지편집인협의회가 국내 의학학술지 평가사업을 통하여 선정한 270종 학술지에 실린 논문의 영문 서지정보와 초록 정보 데이터베이스
학술데이터 베이스검색(KISS)	무료	http://kiss.kstudy. com/	1996년 이후 현재까지 국내 4,600여개 학회 및 연구소에서 발행하는 학회지 및 연구 간행물의 원문 데이터베이스를 구축한 사설 데이터베이스
국가 오픈액세스 플랫폼(KOAR)	무료	https://www.koar. kr/main/main.do	한국과학기술정보연구원(KISTI)의 학회정보화 지원사업에 참여하는 과학기술 분야 학회의 학술정보 제공 논문 검색 및 원문 제공
과학기술분야 개방형 유통 플랫폼 (NDSL Open Service)	무료	http://nos.ndsl.kr/ nos/main/main.do	국내외 산재하는 핵심 과학기술 정보를 연계한 서비스. 학술논문, 특허, 연구보고서, 동향분석, 산업표진, 과학기술인력 및 사실정보 등을 통합/개별 검색 가능

출처: 김수영 외. NECA 체계적 문헌고찰 매뉴얼. 2011.

② 학술정보 및 포털

기관/저널명(약어)	유료/무료	url	설명
국립중앙도서관	무료	https://www.nl.go.kr/	790만여 책의 방대한 자료를 소장한 국가 대표 도서관. 단행본(도서, 학위논문 등) 및 연속간행물 검색 제공
국가전자도서관	무료	http://www.dlibrary.go.kr/	국내 주요 도서관을 연계하여 메타 검색 제공: 국립중앙도서관, 국회도서관, 법원도서관, 국가지식포털 등 9개 기관 메타검색 제공
국회도서관	무료	https://www.nanet.go.kr/main.do	국내 석박사학위 논문 및 정기간행물, 단행본 등 데이터베이스 제공
DBpia	무료	http://www.dbpia.co.kr/	8개 분야, 4,000여 저널의 다양한 정보제공 사설 데이터베이스
한국학술지인용색인 정보포털	무료	https://www.kci.go.kr/kciportal/main.kci	한국학술진흥재단에서 운영. 학진 등재지 및 등재 후보 학술지 검색 및 서지정보 제공. 각종 통계자료 및 인용빈도 산출 제공
학술교육원 earticle	유료	https://www.earticle.net/	국내 지식지원의 정보화를 위해 사단법인, 재단법인, 학술단체, NGO, 전문출판사 등 약 1,330여 기관과 단체가 참여하여 총 2300여종의 간행물을 Internet-Database로 구축하여 On-Line을 통한 정보의 통합검색 및 원문제공
국가자료종합목록 (KOLIS · NET)	무료	https://www.nl.go.kr/kolisnet/index.do	국립중앙도서관을 중심으로 구성된 전국 공공도서관의 소장자료에 대한 통합데이터베이스이자 도서관간 정보공유 및 상호협력 네트워크
학술연구정보서비스 (RISS)	무료	http://www.riss.kr/index.do	교육과학기술부 출연기관 한국교육학술정보원이 제공하는 학술연구정보서비스, 학위논문, 국내외학술지 논문, 단행본, 공개강의 등 서지정보 및 원문 제공
국가과학기술지식 정보서비스(NTIS)	무료	https://www.ntic.go.kr/ThMain.do	국가 R&D를 수행하고 있는 각개 부처와 연계를 통해 과제 인력, 장비, 기자재, 성과 등 국가가 시행하는 R&D사업 정보 제공

출처: 김수영 외. NECA 체계적 문헌고찰 매뉴얼. 2011.

③ 정책 및 보고서

기관/저널명(약어)	유료/무료	url	설명
국가정책연구포털 (NKIS)	무료	https://www.nkis. re.kr:4445/main.do	중앙부처에서 수행하는 정책연구용역 보고서 검색. 초록, 목록 및 원문 열람 가능

출처: 김수영 외. NECA 체계적 문헌고찰 매뉴얼. 2011.

④ 보건의료

기관/저널명(약어)	유료/무료	url	설명
의학전자도서관 (MEDLIS User)	유료	http://www.medlis. kr/index.do	한국의학도서관 협의회 회원기관이 공동으로 운영하며 한국교육학술정보원에서 프로그램과 서버를 관리. 국내 소장 의학 학술지를 도서관간 자원 공유. 한국의학도서관 소장학술잡지 상호대차 및 국내의학학술지 논문의 서지 및 초록 검색 가능
의과학연구정보센터 (MedRIC)	무료	http://www.medric. or.kr/	1997년 설립되었으며 한국의학논문 데이터베이스 사업을 수행하며, 국내외 의학관련 저널 서지정보 및 원문제공. 그 밖의 학술정보 및 교육자료 등 제공

출처: 김수영 외. NECA 체계적 문헌고찰 매뉴얼. 2011.

⑤ 치위생 관련 데이터베이스

기관/저널명(약어)	유료/무료	url	설명
치위생과학회지	무료	http://www.jkdhs. org/main.html	2001년에 발간하여 교육 치위생, 기초 치위생, 사회 치위생, 임상 치위생, 기타 치위생 분야의 연구 제공
한국치위생학회지	무료	http://www.jksdh. or.kr/browse/all- issues/	구강건강과 치위생 분야의 연구내용, 특히 치위생 이론 및 실습, 교육과 관리에 대한 연구 제공

(2) 국외

① COre 검색 데이터베이스

기관/저널명(약어)	유료/무료	url	설명
PubMed	무료	https://pubmed.ncbi.nlm.nih.gov/	미국 국립의학도서관의 서비스로서, MEDLINE 및 기타 생명과학 저널의 1948년 이후 생물의학 논문 자료에서 발췌한 연구 등을 제공. PubMed는 본문 전체와 기타 관련자료로 이동할 수 있는 링크도 제공
ELSEVIER	유료	https://www.elsevier.com/books-and-journals	네덜란드 Elsevier에서 제공하는 생명의학 및 약학 서지 데이터베이스로 EMBASE나 Medline을 통하여 가장 최근의 인용 및 초록제공. 8,500가지 이상의 저널 타이틀과 EMBASE만의 2,900여종 저널 추가 제공

출처: 김수영 외. NECA 체계적 문헌고찰 매뉴얼. 2011.

② COre 이외의 데이터베이스

기관/저널명(약어)	유료/무료	url	설명
Web of Science	유료	https://clarivate.co.kr/products/web-of-science/	세계직인 논문 평가 및 인용색인 전문출판사인 ISI사에서 발행하는 인용정보제공 데이터베이스 Social Science Sitation Index, Arts & Humanities Citation Index의 3개 주제분야로 구성. 18,000여 종의 학술지, 학술대회 논문집 180,000여 종, 단행본 80,000여 종이 학술정보 제공

출처: 김수영 외. NECA 체계적 문헌고찰 매뉴얼. 2011.

③ 학술정보 및 포털 등 기타 데이터베이스

기관/저널명(약어)	유료/무료	url	설명
Google Scholar	무료	https://scholar.google.co.kr/	Google에서 제공하는 학술문헌을 광범위하게 검색하기에 용이한 도구
Scopus	유료	httpc://www.coopuc.com/home.uri	연구문헌과 질높은 연구간련 웹에 대한 서지정보와 초록을 제공
brtish Library	무료	https://www.bl.uk/	영국 국립도서관으로 세계 최대의 도서관 가운데 하나이며 유료로 전세계에 문서전달 서비스 제공

Proquest Dissertation and Theses	유료	https://about.proquest.com/APAC-KO/	전세계적으로 가장 많은 학위논문 전문을 소장하고 있음
Open Medicine Journal	무료	https://openmedicinejournal.com/	동료 의료인에 의해 검토되며, 독립적이고 누구나 이용할 수 있는 의료저널
Free Medical Journal	무료	http://www.freemedicaljournals.com/	무료로 전문 이용이 가능한 의학 분야 저널을 제공

출처: 김수영 외. NECA 체계적 문헌고찰 매뉴얼. 2011.

④ 치위생 관련 데이터베이스

기관/저널명(약어)	유료/무료	url	설명
International Journal of Dental Hygiene	유료	https://onlinelibrary.wiley.com/journal/16015037	세계치과위생사연맹(IFDH)에서 발간하고 있는 학술지
JDH	유료	https://jdh.adha.org/	미국치과위생사협회(ADHA)에서 발간하고 있는 학술지

(3) 기타 보건의료관련 데이터베이스

기관/저널명(약어)	국가	url	설명
통계청	한국	http://kostat.go.kr/portal/korea/index.action	사망 및 사망원인 등에 관한 통계 및 의약품, 의료기기의 생산, 구매 등과 관련한 통계자료 제공
KOSIS 국가통계포털	한국	https://kosis.kr/index/index.do	국가 승인 통계들을 DB로 구축하여 제공, 성·연령별 사망원인통계 및 의료비 추이와 구성 등 건강보험 통계 제공
e-나라지표	한국	https://www.index.go.kr/main.do	질병관련, 건강증진 및 보건산업 관련 통계자료 제공
보건의료빅데이터 개방시스템	한국	https://opendata.hira.or.kr/home.do	건강보험심사평가원에서 제공하는 의료통계정보 및 공공데이터 자료 제공
질병관리청	한국	http://www.cdc.go.kr/	국내 질병 관련 정보제공

국민건강보험공단	한국	https://www.nhis.or.kr/retrieveHomeMain.xx	건강보험자료를 공공연구의 목적으로 국가, 행정기관, 대학연구소 등 공공기관에서 요청하는 경우 국민건강보험공단의 제공기준, 범위, 절차에 따라 자료를 산출
질병관리청 KDCA 국민건강영양조사	한국	https://knhanes.cdc.go.kr/knhanes/main.do	2008년부터 수행한 국민건강영양조사 자료 제공
질병관리청 KDCA 지역사회건강조사	한국	https://chs.cdc.go.kr/chs/index.do	2008년부터 전국 기초자치단체에서 실시한 건강설문조사로 매년 주민의 건강수준, 건강생활습관, 의료이용 등에 대한 정보 제공
Organisation for Economic Co-operation and Development (OECD)	국제	http://www.oecd.org/	OECD healthdata가 매년 발행되며, 동 자료를 통하여 OECD 국가별 건강상태, 보건의료자원, 보건의료이용 등에 관한 통계자료를 얻을 수 있음
WHO Statistical Information System (WHOSIS)	국제	https://www.who.int/data/gho	WHO 통계정보시스템으로 GHO (gloval health observatory)로 통합되어 전세계 보건관련 데이터, 문서자료 및 기법, 보고서 등을 제공

출처: 김수영 외. NECA 체계적 문헌고찰 매뉴얼. 2011.

3) 문헌의 정리 및 보관

원하는 주제에 대한 문헌을 찾은 다음에는 문헌을 정리할 필요가 있다. 기존 연구를 정리, 요약하는 목적은 기존 연구로부터 필요한 정보를 모두 얻었는지 확인하고 다양한 자료원에서 얻은 정보를 체계적으로 구성하기 위한 것이다. 따라서 논문을 요약할 때는 다음의 항목들을 면밀히 검토하여 정리한다.

① 주요한 연구문제 및 연구가설
② 연구대상의 특징과 표본의 수
③ 측정방법 및 측정도구
④ 연구절차
⑤ 연구가설에 따른 주요 연구결과
⑥ 결론 및 논의에서의 주요 내용
⑦ 논문에 대한 평가

많은 양의 연구논문이나 책을 읽었다고 해도 이것을 자신의 연구에 도움이 될 수 있도록 논리적으로 작성하는 것은 쉬운 일이 아니다. 그러나 위와 같이 문헌고찰 내용을 정리하면 연구를 설계하고 진행하는데 도움이 된다. 또한 저자, 논문발간 일시, 논문제목, 논문출처를 적어 저자별로 정리해 보관하면 많은 문헌을 손쉽게 참고할 수 있다.

① 컴퓨터의 문헌정리 프로그램을 이용하여 정리한다.
② 정보를 정확히 기록해 둠으로써 매번 문헌을 다시 찾거나 읽어야 하는 수고를 덜 수 있도록 한다.
③ 저자나 논문제목을 '가나다순' 또는 'ABC순'으로 정리하여 사용하기 쉽도록 한다.
④ 연구자가 자신의 연구결과를 선행연구 결과와 체계적으로 비교하는 것이 가능하도록 정리한다.
⑤ 〈표 4-1〉을 참고하여 정리해 두어야 할 사항을 기록한다.

표 4-1 **문헌을 읽은 후 정리해 두어야 할 사항**

1. 도서목록(bibliography)
  1) 논문의 경우
  (1) 저자명, 논문제목, 잡지이름, 권, 호, 연도, 페이지수 기록
  (2) • 예 1) 박일순, 윤혜정, 이경희. 치과코디네이터 교육대상에 따른 교육만족도 및 인식에 대한 조사연구. 대한구강보건학회지. 33(3), 400–410, 2009.
     • 예 2) Begzati A, Berisha M, Meqa K. Early childhood caries in preschool children of Kosovo–a serious public health problem. Journal of BMC Public Health. 10(1), 788, 2010.
  2) 저서 등 단행본의 경우
  (1) 저자명, 저서명, 출판장소, 출판사, 페이지, 출판년도를 기록
  (2) • 예 1) 김종배, 최유진, 문혁수, 김진범, 김동기, 이흥수, 박덕영. 공중구강보건학. 제 3판, 서울: 고문사. pp 147, 2004.
     • 예 2) Finn SB. Clinical Pedodontics, 4th., W. B. Saunders Co, Philadelphia. pp 616–633, 1973.

2. 논문내용
  1) 문제진술
  2) 이론적 기틀
  3) 가설
  4) 연구방법(연구대상, 측정도구, 자료수집방법, 자료분석방법)
  5) 연구결과
  6) 문헌고찰 시 인용될 수 있는 중요한 인용문

3. 논문에 대한 연구자 자신의 평가나 의견을 기록한다.

또한 참고문헌을 손쉽고 빠르게 정리하기 위해서 서지정보 관리 프로그램을 이용할 수 있다. 서지정보란 해당 자료로 접근할 수 있는 서명, 저자, 출판사, 출판년, 수록저널명, 수록 권호 정보 등의 기본정보를 말한다. 문헌 목록 타이핑이나 목록 인덱스 작업에 소요되는 많은 시간을 절약하여 주고, 작업을 보다 쉽게 하여 주는 프로그램을 이용하면 유용하다.

● EndNote (http://www.philscience.com/isi/en/)

엔드노트(EndNote)는 전 세계 연구자 및 서지 관리자, 학생 등이 보편적으로 사용하는 대표적인 참고문헌 관리 프로그램으로 논문 삭성 시 사료의 관리와 주석 작성에 많은 도움이 된다고 알려져 있다. 엔드노트는 프로그램을 구매한 대학도서관이나 연구기관 홈페이지에 배포되고 있으며, 엔드노트에 대한 자세한 사항은 상단에 엔드노트 공식 홈페이지를 참고하기 바라며, 가장 일상적으로 활용할 수 있는 주요 기능은 다음과 같다.

① 문헌리뷰 데이터베이스

참고문헌을 읽은 후 초록, 키워드, 핵심 내용, 비평(critic) 등을 엔드노트에 저장해 두었다가 논문을 쓸 때 이용한다. 저자, 제목, 키워드, 내용 등 모든 항목에 대한 검색이 가능하다.

② 참고문헌 분류

참고문헌을 주제별로 분류해 둘 수 있다. 이 때 논문 분류는 라이브러리 방식으로도, 레이블 방식(그룹 기능)으로도 가능하다. 보통 한 논문이 한 주제에만 국한되지 않기 때문에, 특히 그룹 기능이 매우 유용하게 이용된다.

③ 전자파일 관리

pdf 파일이나 이미지 파일 등을 함께 저장해둘 수 있다. 논문의 전자파일이나 html 파일, 표, 도표 등을 저장해 두었다가 나중에 필요할 때 쓰면 편리하다.

④ 참고문헌 서식 정리

워드 프로그램과 연동시켜 논문을 쓰는 동안 인용한 문헌들을 지정한 서식으로 포맷하고 알파벳순으로 정리해 준다.

● RefWorks (https://www.refworks.com/es/)

웹기반의 참고문헌 저장 및 관리 소프트웨어로 각종 전자저널 WebDB에서 감색한 참고문헌을 RefWorks에 저장하여 사용할 수 있다. RefWorks는 필터 다운로드 및 적용 과정, Import 메뉴를 통한 반입과정을 생략하고 데이터베이스 검색결과에서 자동으로 가져오기 기능을 채택하여 서지정보를 직접 입력하지 않아도 간편하게 사용할 수 있다.

4) 문헌읽기와 평가

연구자가 문헌을 찾아 정리한 후에는 다음과 같은 순서에 의해 문헌을 읽고 평가하는 단계를 거친다.

(1) 문헌 대략읽기
① 내용에 대한 광범위한 개요를 얻기 위해 문헌을 빠르게 고찰한다.
② 서론, 주요 표제, 결론 및 요약을 고찰한다.
③ 문헌의 가치에 대한 예비판단을 내릴 수 있게 해주고, 그것이 1차 출처인지, 2차 출처인지를 결정할 수 있게 해준다.

(2) 문헌 이해하기
① 문헌내용 전부를 철저히 읽는다.
② 중요하다고 생각되는 내용(관련 개념 틀, 개념에 대한 정의, 개념들 간의 관계 등)에 표시를 한다.
③ 문헌을 읽는 동안 떠오른 아이디어를 기록한다.
④ 문헌을 조직하고 분류하기 위한 관련 범주를 확인한다.

(3) 문헌 분석
① 문헌의 내용을 부분으로 나누고, 각 부분의 정확성과 완전성, 정보의 독특성, 조직, 관련성을 깊이 조사한다.
② 문헌 안의 관련내용은 확실히 규명되고 내용은 복잡한 범주체계로 분류된다.
③ 연구자의 평가에 대한 판단능력이 필요하다.

(4) 문헌내용의 합성
① 합성과정을 통해서 전체 문헌에서 고찰한 내용이 분명해지고, 고찰한 내용에 의미를 부여할 수 있다.
② 연구자의 생각을 자신의 말로 분명하고 간략하게 표현하는 것이 포함된다.

(5) 치위생 연구의 통합고찰
① 통합고찰은 특수영역에 대한 현존지식 정도를 결정하고 독자적 연구의 결과를 확인, 분석, 합성하기 위해 실시한다.
② 참고한 문헌들의 포괄적인 목록과 선택된 주제의 실증적 문헌들에 대한 요약이 포함된다.

5) 문헌고찰의 작성
문헌고찰의 작성이란 주어진 주제에 관한 결과의 평가뿐만 아니라, 포괄적으로 서술하는 것을 말한다. 새로운 문헌고찰을 기록해 가는 과정은 문헌고찰의 마지막 단계이다. 그것은 연구할 논제에 대한 모든 면을 반영하도록 총괄적일 필요가 있으나 간단명료해야 한다. 따라서 다음과 같은 순서에 의해 문헌고찰을 작성한다.

(1) 관련 문헌의 선택
① 관련된 참고문헌을 철저하게 추적했는가를 확인하는 것이 중요하다.
② 학술적인 기록에 포함된 정보의 유형은 다음과 같다.

- **사실, 통계치 또는 결과**
- 교과서, 백과사전, 보고서, 학술잡지 등을 통해 확인할 수 있다.
- 다른 연구의 결과와 그 밖에 특별한 주제나 문제에 대한 진행기록을 제시하는 자료로서 연구를 위해 고찰해야 할 중요한 정보유형이다.

- **이론 또는 해석**
- 특별한 문제에 대해 이론적 기틀을 제공해주는 좀 더 광범위하고 좀 더 개념적인 논쟁을 다룬다.
- 연구보고서와 잡지 기사로 발표된 이론에 대한 논의는 간단하나 책보다 좀 더 발전된 형태로 발견된다.

- **방법과 절차**
- 문헌고찰을 하면서 연구자가 결과가 무엇인가 하는 문제와 그것을 어떻게 발견했는가 하는 방법론적 과정에도 관심을 기울여야 한다.

어떤 접근방법을 이용했는가?
연구 상황을 어떻게 통제하였는가?
자료 분석을 위해 어떤 통계절차를 이용하였는가?

● **의견 또는 신념, 견해**
- 관심 있는 주제에 대한 저자의 의견이나 태도에 초점을 맞춘 보고서와 기사를 확인한다.
- 기사는 개인 또는 집단의 견해를 대표하는 가치관이 개입된 주관적인 것이다.

● **일화, 임상적 상황이야기**
- 저자의 경험과 임상에서의 일상적인 것과 관계된 것이다.
- 의견을 제시한 기사와 일화는 특히 연구자가 문제에 비교적 친숙하지 못한 경우 문제의 이해력을 넓히는데 도움이 될 수 있다.
- 주관성이 강하므로 제한점이 따른다.

(2) 문헌고찰의 조직
① 의미 있고 이해될 수 있는 흐름으로 제시되어야 한다.
② 어떻게 조직할 것인가에 대한 골격을 세운다.
③ 내용별로 소제목을 붙인다.
④ 내용의 적합성, 전체적인 조직, 요약의 질이 중요하다.

(3) 문헌고찰의 내용
① 연구주제에 관한 현재의 지식상태를 나타내며 연구에 대한 체계적인 기초를 제공하기 위하여 선행문헌을 조직하고 요약하는 작업임을 명심해야 한다.
② 동일한 주제에 대한 선행연구결과를 진술할 때는 일관성 있는 결과를 낸 논문과 상반된 결과를 낸 논문을 모두 제시하여야 한다. 그리고 비일관성의 이유가 무엇인지에 대한 가능한 설명을 제공해야 한다.
③ 본 연구와 특히 관련이 있는 문헌은 연구설계, 결과, 결론을 포함하여 자세히 기술하는 반면 관련이 적은 문헌은 과감히 버린다.
④ 연구결과가 서로 비교될 수 있는 논문들은 묶어서 간략하게 요약, 진술한다.
　　예) '많은 연구에서 반점치의 증가는 불소가 든 치약의 부적절한 사용과 관련이 깊은 것으로 보고되고 있다(Beltran ED 1988, Ekstrand J 1980, Bruun C 1988).'

⑤ 연구자는 문헌고찰 진술 시 가능한 객관적이어야 하는데, 즉 연구자의 가설을 지지하지 않는 연구나 연구자의 가치관과 갈등이 있는 연구를 제외시켜서는 안 된다.

⑥ 선행연구들이 얼마나 적절하였는지 연구 간의 차이나 연구가 이루어지지 않은 영역에 대해서도 지적해야 한다.

⑦ 마지막으로 요약(summary)이나 연구문제의 현 상태에 대한 개괄로 결론을 짓는다.

(4) 문헌고찰의 문체

① 문헌고찰을 진술할 때 잠정석인 언어를 사용하는 것을 배워야 한다.

② 문헌고찰에는 개인의 의견은 가능한 포함시키지 않도록 하며, 만일 포함시킬 경우 의견의 출처를 명확히 밝혀야 한다.

③ 전문가나 영향력이 있는 사람의 의견은 연구의 필요성을 확립할 때는 유용하나 문헌고찰 시에는 가능한 적게 사용해야 한다.

④ 〈표 4-2〉는 문헌고찰의 적절한 문체의 예이다.

표 4-2 **문헌고찰의 부적절한 문체와 적절한 문체**

부적절한 문체	적절한 문체
1세 이전에 불소치약으로 칫솔질을 한 어린이에게는 불소 중독증이 발생한다.	선행연구들은 1세 이전에 불소치약으로 칫솔질을 한 어린이에게서 불소중독증이 나타났음을 보고하였다.
책임은 내적인 스트레스 요인이다.	스트레스 분야의 권위자인 Cassard(1994)에 따르면 책임은 내적인 스트레스 요인이다.
연구자들은 어리고 약한 연령에서는 치약의 양을 완두콩 크기보다 작게 칫솔에 짤 수 있도록 해야 한다고 보고하였다.	Ripa와 Horowitz는 어리고 약한 연령에서는 치약의 양을 완두콩 크기보다 작게 칫솔에 짤 수 있도록 해야 할 필요가 있다고 제언한 바 있다.

(5) 문헌고찰의 기록법

① 문헌고찰의 주요부분을 작성할 때 실증적, 이론적 문헌은 간결하고 정확하게 제시하여야 한다.

② 문헌으로부터 나온 내용은 정직하게 제시해야 하며, 연구자의 말로 의익하고 요약할 때 연구문제를 지지하기 위해 왜곡해서는 안 된다.

③ 관련성이 높은 연구는 깊이 있게 논의해야 한다. 다른 사람의 연구에 대해 결함을 지적할 필요는 있으나 너무 비평할 필요는 없다.

CHAPTER 5

연구유형

Reseach Methodology for Dental Hygiene

치 위 생 연 구 방 법 론

연구유형

 ## 1. 과학적 연구의 유형

연구는 아직 알려지지 않은 어떤 질문에 대해 타당성 높은 해답을 얻으려고 탐구하는 과정이며, 과학적 연구는 관심 있는 문제를 연구하기 위해 과학적 방법을 적용하는 것이다. 과학적 방법은 인간의 지식 습득 방법 중 가장 진보된 방법으로, 오류가 있을 수는 있으나 전문가의 지식, 경험, 논리적 추론의 단독 사용에 비하여 훨씬 신뢰할 수 있는 방법이다.

1930년 이래로 많은 연구자들은 과학적 방법에는 논리 실증주의에 근거한 양적연구만이 포함되는 것으로 좁게 정의내려 왔다. 양적연구는 세계에 대한 정보를 얻기 위하여 수적 자료를 이용하는 객관적, 체계적 과정으로서 현상을 서술하고, 변수간의 관계를 조사하며, 인과 관계를 규명하고자 한다. 치위생학에서 과학적 발견을 위해서 주로 사용해 왔던 방법이 양적연구이다. 많은 연구자들은 양적연구가 질적연구에 비하여 치위생 실무를 이끌 수 있는 보다 확고한 지식체를 제공하고 다른 학문과 의사소통을 더 잘 할 수 있게 한다고 믿는다.

질적연구는 인간 경험의 총체적인 이해를 위한 체계적인 연구방법이다. 질적연구를 통하여 돌봄, 안위, 무력감, 통증과 같은 복합적인 인간 경험 등 삶의 과정적인 변화 형태와 사회적 상호관계 등을 이해할 수 있게 된다. 인간의 경험은 부분으로 나눌 수 없고, 수량화할 수 없기 때문에 질적연구가 양적연구에 비해서 경험을 연구하는 데 효과적인 방법으로 여겨지기도 한다.

양적연구와 질적연구는 단순히 자료를 수집하고 분석하는 방법의 차이를 의미하지는 않는다. 양적연구와 질적연구의 차이는 실재에 대한 관점, 지식의 진리성과 발견에 대한 인식론, 과학적 지식을 규정짓는 방법론을 포괄하는 패러다임의 차이이다. 따라서 연구에서 적절한 방법의 선택은 연구자의 철학과 훈련 배경 그리고 무엇보다도 연구하고자 하는 주제에 의하여 결정된다.

연구의 과학적 철학 배경을 보면 양적연구는 논리실증주의 철학으로부터 출현하였다. 이 철학은 현상의 배후에서 형이상학적 원인을 찾으려는 것을 배제하고, 관찰이나 실험으로서 검증할 수 있는 지식만을 인정하려는 입장을 갖고 있다. 이에 따라 양적연구자는 진리는 절대적이고 수의깊은 측정에 의해 정의될 수 있는 하나의 실재라고 보며, 진리를 발견하기 위해서 연구자는 철저하게 객관적이 되어야 한다. 즉, 개인의 가치, 감정, 지각이 실재의 측정에 관여 되어서는 안 된다는 입장을 지지한다. 반면 질적연구는 인간의 독특하고, 역동적이며 전인적인 특성을 이해하는 방법으로서 행동과학과 사회과학으로부터 발전되었다.

연구의 초점 및 연구자와 대상자의 관계를 보면 양적연구는 구체적이고 환원적이다. 환원적이라는 것은 부분을 연구하기 위해서 전체를 부분으로 쪼개는 것을 말한다. 양적연구자는 연구수행 시 연구로부터 분리되어 있고, 그들의 가치가 연구에 영향을 주지 않도록 노력한다. 질적연구의 초점은 보통 총체적이며 연구자의 의도는 전체에 의미를 주는 것이다. 질적연구자는 연구에 능동적으로 개입하며 연구결과는 연구자의 가치와 지각에 의해 영향을 받는다.

연구목적을 보면 양적연구는 서술, 변수간의 관계조사 및 인과관계 규명을 위해 수행된다. 그러므로 이 방법은 이론을 검증하는데 유용하다. 연구자가 부분을 연구한 후 부분을 전체에 일반화할 때에는 논리적, 연역적 추론을 통합한다. 질적연구는 경험의 의미를 발견하고 해석하기 위해 수행된다. 따라서 귀납적, 변증법적 추론이 주로 이용된다. 질적연구는 의미에 관심이 있기 때문에 연구결과는 변수간의 관계를 규명하는데 사용될 수 있고, 이 관계진술은 이론 개발에 이용된다.

연구상황, 자료수집 및 자료분석을 보면 양적연구에서 연구자는 연구문제를 규명힐 때 혼란변수의 영향을 배제하기 위해 통제를 이용한다. 양적연구는 수적 자료를 생성하기 위해 측정도구, 설문지 등을 사용하고, 자료 분석 시 통계적 분석을 이용한다. 통제, 측정도구, 통계적 분석은 연구결과가 실재를 정확히 반영하도록 하는데 이용됨으로써 연구결과는 일반화될 수 있다. 질적연구는 자연스런 상황에서 자료를 수집하며 연구자와 대상자의 상호작용을 통제하는 어떠한 시도도 하지 않는다. 자료수집 방법으로는 연구자 자신이 도구로서 이용되며, 심층면담·참여관찰·기록물 및 일기 등을 이용하여 질적 자료를 수집한다. 질적 자료는 단어의 형태를 갖고 있고, 자료분석은 경험의 의미분석과 해석으로 이루어지며 연구자는 자료를 분류하고 조직하기 위한 범주를 규명한다.

양적연구와 질적연구 차이점을 비교하면 〈표 5-1〉과 같다.

표 5-1 **양적연구와 질적연구**

구분	양적연구방법	질적연구방법
연구의 초점	구체적, 환원적	총체적
연구목적	• 이론검증 • 일반화 • 사실을 구성 • 예측과 통제 • 인과관계 규명	• 이론전개와 개념을 개발 • 맥락화(contextualization) • 다양한 현실세계를 구성 해석 • 행위자의 시각에서 이해 • 경험의 의미 발견 및 해석
주요 개념	• 변수, 조작적 정의 • 가설, 신뢰도, 타당도 • 통계적 의미의 일반화	• 의미, 상징적 이해 • 주관적 인식 우월 • 변수들은 복잡, 상호 얽혀 있고 측정이 어려움
접근방법	• 연역적 추리:가설과 이론에서 출발 • 조작과 통제 • 형식을 갖춘 도구 이용 • 실험 • 객관적, 분리	• 귀납적 추리 • 출현과 묘사 • 주관적 접근 • 자연적 방법 • 개별 사례적 접근: 복잡성과 패턴의 발견
자료와 표본	• 양적 의미 부여, 가능한 부호 계산하고 측정함 • 조작화된 변수들 • 통계적이고 표본이 큼 • 통제집단의 존재, 외생변수에 대한 통제 • 수적자료: 측정도구, 설문지	• 개인적, 기술적 기록 • 현장, 노트, 사진, 녹음기, 진술자 이야기 • 표본이 작음 • 이론적인 표집 • 비대표성 샘플 • 질적자료: 심층면담, 참여관찰, 기록물
자료분석	• 연역적 • 자료수집을 마치고 이루어짐 • 통계적 분석으로 결과에 의미부여	• 지속적이며 귀납적 • 모형, 주제, 개념별 분석 • 분석적 귀납법 및 연속적 비교법 • 의미분석과 해석
장점	• 객관적 • 일반화의 모색	• 심층분석적 • 현상에 대한 이해 및 설명 가능
단점	• 외생변수들의 통제가 어려움 • 통계적 오류가능성 • 연구의 내적타당도를 높이기 어려움	• 연구기간이 긺 • 개인의 편견을 배제하기 어려움 • 연구의 외적타당도를 높이기 어려움

출처: 심준섭. 행정학 연구의 대안적 방법으로서의 방법론적 다각화: 질적방법과 양적방법의 결합. 한국행정연구, 2008. 재인용을 재구성함.

2. 양적연구

철학의 흐름을 크게 전기 실증주의, 실증주의, 후기 실증주의 시대로 나누어서 볼 때 양적연구는 실증주의, 특히 논리적 실증주의 철학을 바탕으로 한다.

아리스토텔레스(Aristoteles)에서부터 데이비드 흄(David Hume)에 이르기까지 2000년의 역사를 갖고 있는 전기 실증주의는 20세기에 접어들면서 많은 연구자들에 의해서 확인되었다. 즉, '근대 과학적 방법'이라고 불렸던 베이컨(Bacon)의 경험론에서 말하는 과학적 방법을 위한 순수한 관찰이 불가능하다고 지적하면서, 많은 연구자들은 무엇을 관찰하고 어떻게 관찰할 것인가를 위한 지적 도구가 필요함을 생각하였으며, 이때부터 과학자들이 능동적인 관찰자가 되기 시작하였고 실증주의 시대로 옮겨갔다.

실증주의는 과학과 과학적 방법에서의 매우 적극적인 평가기준으로 특징지어지는 철학사상들의 집합이라고 정의할 수 있다. 철학에서 실증주의라는 말을 처음 사용한 철학자는 프랑스의 사회철학자 꽁트(Comte)이다.

초기의 실증주의 신봉자들은 철학 이외에 윤리학, 종교, 정치학과 같은 다양한 영역에서 개혁 가능성을 보였지만, 철학으로서의 움직임은 19세기 초기 프랑스와 독일에서 시작하여 20세기에 논리적 실증주의의 비엔나 학파라는 단체를 통해 지지받음으로써 실증주의, 특히 논리 실증주의가 활성화되었다. 논리 실증주의는 지식이 객관성과 보편성을 지녀야 한다고 강조한다. 논리 실증주의는 객관주의를 중시하는데 객관주의는 의식을 가치개입으로 보고 배제하며 지식과 대상이 주체와는 별개로 존재하고, 지식은 지식의 산출과정에 의해 영향을 받지 않는 불변성과 탈역사성을 갖는다고 보았다. 이는 지식구성에 있어서 일차적인 지각의 세계, 즉 생활세계를 고려하지 않음으로써 인간이 인식주체자로서의 역할이 제외되고 인간의 내적의식과 주체적 인식이 도외시되는 단점이 있다.

이와 같은 논리 실증주의 철학을 바탕으로 하여 생긴 연구방법이 양적연구로서 1930년대 이래로 많은 연구자들은 이 양적연구방법을 과학적 연구방법으로 좁게 정의하여 왔다. 그러나 캐플란(Kaplan)이 과학적 방법에는 과학자가 지식을 추구하기 위해 현재 사용하거나 앞으로 사용할 수 있는 모든 절차가 포함된다고 하였고, 후기 실증주의로 접어들면서 사회학이나 심리학 등 인간을 알고 이해하는 데는 기존의 논리 실증주의적 배경의 양적연구방법으로는 한계가 있음이 지적되면서 다시 질적연구에 관심이 증가하였다. 이는 과학적 방법에는 양적연구방법과 질적연구방법이 모두 포함됨을 시사한다.

1) 양적연구의 개념

양적연구는 어떤 현상에 대한 정보를 얻기 위하여 수적 자료를 이용하는 공식적, 객관적, 체계적인 과정이다. 이 양적연구는 관계를 기술하고 원인과 결과간의 인과적 관계를 규명하고자 한다.

가정은 증명이나 확증을 하지 않고도 진실이나 사실이라고 받아들여질 수 있는 기본 원리를 말한다.

(1) 실재의 본질(nature of reality)

과학자는 인간의 발견이나 관찰과는 독립적으로 존재하는 객관적 실재가 있다고 가정하며, 현상은 기본적으로 질서와 규칙성이 있으며 어떤 범위 내에서 일관성 있게 변화하고 있다고 가정하는데, 만일 이 원리가 가정되지 않으면 양적연구는 수행될 수 없을 것이다.

(2) 결정론(determinism)

모든 현상은 원인이나 선행요인을 가진다는 가정이다. 즉, 자연의 사건이나 상태는 우연히 일어나지 않는다는 것이다.

2) 양적연구의 특성

양적연구는 객관적이고 엄격한 과학적 원칙을 갖고 체계적으로 접근하여 새로운 지식을 발견하거나, 알려진 지식을 확실히 입증하기 위하여 수행된다. 양적연구는 어떠한 문제를 해결하기 위하여 또는 새로운 사실이나 관련성을 찾아내어 설명하는 데 사용된다. 즉, 체계적이며 정밀하고, 간결한 과정이며, 조직화되고, 객관적이고, 신뢰성이 높은 방법을 이용하여 특정한 질문에 해답을 찾는 과정이기도 하다.

(1) 개념(concept), 개념측정, 이론검증

기존의 이론적 틀이나 개념적 틀에서 도출된 개념이나 가설들을 측정 가능하게 한다.

(2) 체계성(order and systemization)

체계성은 연구자가 미리 설정된 계획에 따라 일련의 단계를 밟으며 연구를 진행하는 것을 의미한다. 과학적 연구에서 연구자는 문제 정의에서 시작하여 연구설계와 자료수집을 통해 문제해결로 나아가는 체계적인 형태를 밟으며, 이는 연구결과에 대한 신뢰를 증가시킨다.

(3) 인과성(causality)

개념들 간의 인과관계를 설정하여 원인과 결과를 찾아내고자 한다.

(4) 통제성(control)

변수간의 참된 관계를 규명하기 위하여 이들 관계를 혼동시키는 요인을 제거하려는 것이다. 이는 과학적 방법에서 중요한 것으로 연구결과에서 편견을 최소화하고 최대한의 타당성과 정확성을 획득하기 위한 것이다.

(5) 경험성(empiricism)

객관적인 현실에 기초하여 인간의 감각을 통해서 직접 또는 간접적으로 얻어진 자료를 근거로 지식을 생성하는 과정을 말한다. 이는 과학적 조사의 결과가 연구자의 개인적 편견이나 가치보다는 현실에 기초하도록 하며 연구 상황에 어느 정도의 객관성을 부여한다.

(6) 일반성(generalization)

일반화는 과학적 연구가 개별 사건이나 상황에 대한 이해보다는 좀더 일반적인 관계에 대한 이해에 초점을 둔다는 것이다. 예를 들면 연구자는 특정 개인이 구강건강행위를 이행하지 않는 이유를 이해하는 데 관심을 갖기 보다는 사람들이 구강건강행위를 이행하지 않는 일반적 원인을 이해하는 데 관심이 있다는 것이다.

(7) 반복(replication)

연구결과들이 서로 다른 상황에서도 어느 정도 적용 가능한가를 알 수 있는 수단을 제공한다.

(8) 예측성(prediction)

미래를 예측할 수 있어야 한다.

3) 양적연구의 유형

양적연구는 과학적 방법을 적용하여 기존에 알려진 사실에 대해서는 그 타당성을 높이거나 새로운 지식을 제공하고, 아직 알려지지 않은 어떤 현상이나 문제에 대하여 타당성 높은 결과를 얻는 과정이다.

양적연구의 목적은 어떤 현상의 원인에 따른 결과를 예측하고자 함이며, 양적연구의 방법에 따라서 어떤 현상에 대한 서술(description), 탐색(exploration), 설명(explanation), 예측과 통제(prediction and control)의 목적을 갖는다.

서술연구는 관심 있는 현상을 관찰하고 기술하고 분류하는 것으로써 지식체 개발의 기초가 된다.

탐색연구는 서술연구가 확대된 것으로 서술연구와 탐색연구 모두 이론이 없는 상태에서 연구가 수행된다는 점은 같으나 탐색연구는 개념이나 변수간의 관계를 탐색하는데 초점을 둔다.

설명연구는 어떤 현상의 인과관계를 설명하기 위한 것으로 변수 간의 관계를 설명할 수 있으며, 그 결과는 이론이라고 할 수 있다. 서술연구와 탐색연구는 새로운 정보를 제공하는 반면에 설명연구는 현상에 대한 이해를 제공한다.

어떤 현상의 인과관계에 대한 설명이 가능해지면 원인적 요인의 발생이 어떤 결과를 가져올 것인지를 예측할 수 있다. 따라서 바람직한 결과를 발생시키기 위한 원인적 요인을 통제할 수 있다. 치과위생사는 대상자의 건강을 증진시키기 위하여 적절한 치위생 중재를 처방하고 수행하는 수준에 이르러야 하므로, 연구의 예측과 통제의 목적은 치위생 실무를 위해서 치위생연구에 있어서 달성해야 할 수준이다.

4) 양적연구의 한계점

학문을 연구하는 방법에서 자연과학의 철학에 근거한 양적연구방법만이 과학적이며 객관성이 높고 체계적이라는 생각이 오랫동안 지배해왔다. 그러나 양적연구방법은 여러 학문분야에서 인간을 탐구하는데 있어서 인간을 너무 단순화하고 의미를 박탈한다는 한계와 더불어 아래와 같은 문제점이 제기되었다.

(1) 도덕이나 윤리적 문제

과학적 방법은 무엇이 옳고, 그른가 하는 가치문제를 결정해 주지 못하므로 도덕이나 윤리적 문제에 대한 답을 얻는 데 이용될 수 없다.

(2) 인간의 복잡성

치위생연구 수행 시 주요 장애물 중의 하나는 인간의 복잡성 문제이다. 인간의 행태는 복잡하고 가변적이며 예측을 뒤집을 수 있는 능력이 있어 인간을 대상으로 하는 연구수행 시 장애가 되고 있다.

인간의 행동이나 태도에 관한 연구는 신체적 현상에 대한 연구보다 이러한 복잡성으로 인한 문제가 더 많은데, 그 이유는 심리적 기능은 신체기능에 비해 규칙성과 일관성이 적으며 외적인 영향을 더 많이 받기 때문이다. 그러므로 인간의 행동과 심리현상에 대한 연구에서는 신체적 현상에 대한 연구와 같은 수준의 질서와 규칙성을 찾아내는 것은 쉽지 않다.

(3) 측정의 문제

연구를 위해서는 관심 현상을 측정할 수 있어야 한다. 치위생학에서 관심을 갖는 심리현상에 대한 측정도구는 생물학적, 생리적 기능에 대한 도구보다 훨씬 정확성이 떨어진다. 측정의 문제는 연구과정에서 가장 어려운 문제 중 하나이다.

(4) 통제의 문제

실험실에서는 현실세계보다 통제가 훨씬 더 쉽다. 예를 들면 실험실에서 쥐를 가지고 실험하는 과학자는 실험조건에 일치하도록 쥐의 환경을 완전하게 통제할 수 있다. 반면에 인간을 대상으로 하는 실험연구는 실험실에서와 같은 정도의 통제는 가능하지 않다.

(5) 연구의 일반적 제한점

어떠한 연구도 완전하게 설계되고 수행되지 못한다. 실제로 모든 연구는 일부 약점을 가지고 있다. 연구문제는 다양한 방식으로 연구될 수 있으므로 연구자는 어떻게 하면 가장 잘 연구할 수 있을지에 대한 결정을 내려야 한다. 연구지가 많은 자원과 시간, 비용을 들여 철저히 연구하였을 때에도 역시 연구의 제한점은 있는데, 이는 어떠한 연구도 한 편의 연구로는 현상을 명백하게 증명하거나 반증할 수 없다는 것을 의미한다.

3. 양적연구의 기본 용어

1) 이론적 정의와 조작적 정의

어떤 사람이든 자신의 생각을 다른 사람과 공유하기를 원한다면, 반드시 어떤 방법으로든 자신의 생각을 전달해야 하며, 특히 과학적인 메시지를 주고받기 위해서는 메시지를 보내는 쪽과 받는 쪽이 같은 의미로 동의하는 개념을 이용해야 한다. 따라서 과학적 연구를 통해 어떤 생각이 교환되는 것의 효과성과 정확성은 연구에서 사용되는 개념의 의미에 관한 합의, 그 개념의 성질에 관한 합의의 정도에 의존하게 된다.

일상생활에서는 모호한 개념을 가지고도 개인의 생각이나 입장을 상대방에게 전달하기도 하고, 이를 받아들이는 사람도 자신이 이해하는 개념의 의미가 전달한 사람과 동일한 것인지 확증하지 못하는 경우가 종종 있다. 그러나 과학적인 연구에서는 이러한 오해나 모호함이 발생하지 않도록 하기 위해서 연구에 사용되는 개념에 대해 명확한 정의를 내려야 한다. 연구에서 개념을 정의하는 방법에는 이론적 정의와 조작적 정의 두 가지가 있다.

(1) 이론적 정의

이론적 정의는 기존이론이나, 다른 학자들의 정의, 또는 개념분석과정을 통해 얻어진다. 일반적으로 조작적 정의의 기본이 되며, 조작적 정의보다 훨씬 넓은 범위를 포함하고 훨씬 더 추상적이다.

이론적 정의의 기능은 개념의 의사소통에 있으므로 일관성, 정확성, 명확성을 고려하여 정의해야 하며, 이론적 정의의 진실여부는 판단할 필요가 없다. 또한 이론적 정의는 시대에 따라 학자에 따라 다르게 정의될 수 있으므로 이미 존재하는 이론적 정의도 여러 학자와 연구자들에 의해 계속적으로 수정하고 보완 혹은 기각하는 작업이 계속되고 있다. 다음은 이론적 정의의 한 예이다.

〈이론적 정의 예시〉
임파워먼트; 임파워먼트란 둘 이상의 인간관계에서 서로를 믿고 신뢰하고 존경하며, 타인의 파워 증진을 위하여 서로 격려하고 지지하며 자원과 기회를 제공해주는 과정을 말한다(신유근, 2002 ; Kuokkanen L, 2000 ; Laschinger HK, 1994).

출처: 이선미. 치과위생사가 지각하는 파워와 임파워먼트, 자기효능감과의 관계 연구. 한국치위생교육학회지, 2005.

제시된 예를 보면 연구자는 임파워먼트라는 다소 모호하고 추상적인 개념을 명확히 하기 위해 여러 학자들의 정의에서 이론적 정의를 도출하였다.

그러나 이론적 정의는 추상적이기 때문에 이론적 정의만으로는 제시된 개념들을 직접 관찰하거나 측정할 수는 없다. 양적연구를 진행하기 위해서는 개념들을 직접 측정할 필요가 있는데 이는 조작적 정의에 의해 가능해진다.

(2) 조작적 정의

이론적 정의가 개념의 의사소통을 위한 목적으로 만들어졌다면 조작적 정의는 이러한 목적 이외에 직접 측정을 위한 목적이 추가된다. 조작적 정의는 이론적 정의보다 훨씬 구체적이며 따라서 그 범위의 폭도 더 적다. 조작적 정의에는 연구에서 이론적 정의에서 제시된 개념이 어떤 도구를 이용해 측정될 것인지, 어떤 방법이나 활동을 통해 측정될 것인지, 어떤 대상자들에게서 측정될 것인지 등 연구자가 진행해 나갈 과정들이 세밀하고 정확하게 서술된다. 즉, 이론적 정의에서 추상적인 영역에 남겨두었던 개념들을 직접 관찰하고 측정하고 비교해 볼 수 있는 영역으로 이끌어 내린 결과라고 할 수 있다.

조작적 정의는 이론적 정의에 그 바탕을 둔다.

〈조작적 정의 예시〉

임파워먼트: 본 연구에서는 Chandler가 개발하고 Laschinger가 수정한 Conditions of Work Effectiveness Questionnaire (CWEQ) 문항을 치위생 분야에 맞게 수정 보완하여 임파워먼트를 측정한 점수이다.

출처: 이선미. 치과위생사가 지각하는 파워와 임파워먼트, 자기효능감과의 관계 연구. 한국치위생교육학회지, 2005.

예를 들어 위에 제시된 예처럼 임파워먼트에 대해 '임파워먼트란 둘 이상의 인간관계에서 서로를 믿고 신뢰하고 존경하며, 타인의 파워 증진을 위하여 서로 격려하고 지지하며 자원과 기회를 제공해주는 과정을 말한다'라는 이론적 정의를 내렸다면 조작적 정의에서는 어떤 집단의 개인이 대상이 되는지, 임파워먼트를 어떻게 측정할 것인지에 대한 전략이 포함되어 있어야 하며, 도구를 사용하는 경우에는 개인적인 특성과 조직에서의 기회 및 파워 구조 등을 모두 포함하여 측정되어야 할 것이다. 다음은 앞서 제시되었던 연구에서 연구자가 임파워먼트를 조작적으로 정의한 것이다.

2) 변수(variable)

연구하고자 하는 개념에 대한 조작적 정의가 내려지면 그 시점부터는 연구하고자 하는 개념을 변수라고 부르는 것이 일반적이다. 변수란 개념의 속성에 따라 여러 가지 값을 가지는 것, 또는 변하는 모든 수를 말한다. 예를 들어 '혈액형'이라는 변수는 그 속성에 따라 'A형', 'B형', 'O형', 'AB형' 등의 값을 가진다. 변수와 상반되는 개념으로 상수(constant)가 있으며, 이는 변하지 않는 고정된 수로 취할 수 있는 값이 하나뿐인 수를 말한다. 상수와 변수의 개념이 항상 고정적인 것은 아니다. 예를 들면 모집단이 한국인인 경우에는 '국적'이라는 변수는 상수이다. 그러나 모집난이 전세계인인 경우는 '한국', '일본', '미국' 등의 여러 가지 값을 가지게 된다.

(1) 독립변수(independent variable)

독립변수란 종속변수의 필연적인 선행 조건으로서 종속변수에 영향을 미치는 원인이 된다. 독립변수는 설명하는 변수(explaining variable)이며, 종속변수의 값을 변화시키는 것으로 추정되는 원인으로서 예측하게 하는 변수(predictor variable) 또는 원인변수(causal variable)라 한다. 실험 연구에서 독립변수는 연구자에 의해 조작된 변수를 의미한다.

(2) 종속변수(dependent variable)

종속변수는 독립변수의 결과가 되는 변수이다. 즉, 종속변수란 독립변수의 원인을 받아 일정하게 전제된 결과를 나타내는 기능을 하는 변수이다. 종속변수는 결과변수(effect), 반응변수(response variable)라고 불리기도 한다. 실험 설계에서는 독립변수의 변이에 따라 변하는 것으로 예측되는 변수이다. 많은 사회과학적 연구의 결과들은 원인과 결과로 연결된 인과적 서술의 형식을 띠고 있다. 두 변수가 인과적 관계에 있다고 하는 것은 한 변수의 변화가 다른 변수의 변화를 초래한다는 의미이다. 즉, 종속변수는 추정된 결과이고 독립변수가 변함에 따라 공변하다.

(3) 매개변수(intervening variable)

실제 사회 현상의 관계는 독립변수와 종속변수로만 이루어지는 것이 아니다. 실제 사회 현상의 관계는 그렇게 간단하지 않고 인과적 연쇄 관계가 상당히 복잡하다. 이렇게 복잡한 인과 관계를 정리하기 위해 여러 가지 다른 변수의 개념을 이용한다. 독립변수와 종속변수 간의 관계에 개입하는 제 3변수의 유형으로 매개변수, 외재변수, 통제변수 등이 있다. 매개변수란 종속 변수에 대해 일정한 영향을 주는 변수로서 그 기능이 일정하게 규정된 독립변수와는 달리 주로 내면적·비시가적 역할을 하는 변수이다(그림 5-1). 독립·종속의 명백한 변수 관계가 아니라 독립·종속의 변수 관계에 개입하는 제3의 변수의 입장에서 종속변수의 결과를 그 규정된 독립변수에 의해 전부 설명하지 못하든지 또는 전혀 설명되지 않는 것을 설명 가능하게 하는 변수이다.

따라서 매개변수는 독립변수에서 종속변수에 이르는 동작에 포함된 시간적·논리적 과정에 대한 좀 더 정확한 이해를 가능케 함으로써 원인·결과에 대한 지적인 탐색의 길잡이 역할을 한다.

그림 5-1 **매개변수**

(4) 조절변수(moderator variable)

조절변수는 독립변수와 종속변수 사이의 관계의 강도나 정도에 영향을 주는 변수이다. 조절 변수는 독립변수와 종속변수(그림 5-2) 간의 관계에 대해 상황적으로 강한 영향을 미치며, 조절변수의 작용 여하에 따라 독립변수와 종속변수의 관계는 강해지기도 하고 약해지기도 한다.

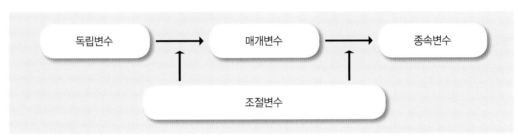

그림 5-2 **조절변수**

(5) 혼란변수(extraneous variable)

혼란변수란 변수 X와 변수 Y 모두에 영향을 미치며, 이들 간의 공동 변화를 모두 설명해주는 변수로서, 허위변수(spurious variable)라고도 불린다(그림 5-3). 즉, X와 Y의 관계가 표면적으로는 인과적 관계에 있는 것처럼 보이는 경우에도 실제로는 두 변수가 우연히 변수 Z와 연결되어 있기 때문에 그렇게 보이는 것이다.

여기서 변수 Z는 X와 Y의 허위관계를 유발하는 허위변수가 되며, X와 Y의 관계를 허위상관관계라고 한다.

그림 5-3 **혼란변수**

(6) 통제변수(control variable)

통제변수란 독립변수가 종속변수에 미치는 영향의 정도를 좀 더 정확하게 알기 위해 통제되는 변수이다(그림 5-4). 즉, 연구를 수행하면서 종속변수에 직·간접적으로 영향을 미칠 가능성이 있는 제2, 제3의 독립변수로서 이를 통제함으로써 좀 더 타당한 연구 결과를 얻을 수 있다.

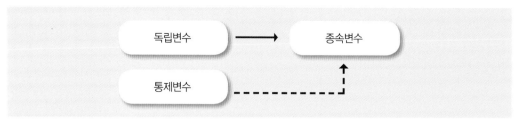

그림 5-4 **통제변수**

〈사례〉

연구자 L은 입체조 프로그램이 노인들의 타액량에 어떠한 영향을 미치는지에 관심을 가지고 연구를 시행하였다. 연구자 L은 노인 100명을 모집하여 각각 50명씩 두집단으로 나눈 후 두 집단 노인들의 타액량을 미리 측정하였다. 미리 측정한 타액량은 두 집단간 차이가 없었다. 그 후 한 집단만 12주 동안 입체조 프로그램을 시행한 후 다시 두 집단 노인들의 타액량을 측정하여 비교한 결과 입체조 프로그램을 시행한 집단 노인들의 타액량이 그렇지 않은 집단 노인들의 타액량보다 유의하게 증가한 것으로 나타났다.

위 예에서 독립변수는 입체조 프로그램이며, 종속변수는 노인들의 타액량이다. 독립변수인 입체조 프로그램을 한 집단에게만 실시하고 다른 집단에게는 실시하지 않는 방법으로 실험처치가 가해졌으며 입체조를 실시한 집단 노인들의 타액량이 그에 반응하여 증가한 것이다. 따라서 입체조 프로그램은 조절변수이다.

또한 위에 제시된 예에서 입체조 이외에 노인들의 약복용 여부가 노인들의 타액량에 영향을 줄 수 있는 변수인데, 집단을 나누는 과정에서 우연히도 입체조에 참여하게 될 집단에만 약을 복용하고 있지 않은 노인들이 집중되었다고 한다면 입체조 프로그램에 참여한 집단의 타액량이 유의하게 증가한 것으로 나타난 연구결과가 입체조 프로그램을 받았기 때문만이라고 확증하기는 어려울 것이다. 따라서 여기에서는 약복용 여부가 혼란변수가 될 수 있다.

그러므로 연구자가 독립변수, 종속변수, 그리고 혼란변수가 무엇인지 그리고 그 변수들이 어떤 속성을 가지고 있는지를 명확히 파악할 때 올바르고 적절한 연구를 진행할 수 있게 된다.

(7) 명목변수, 서열변수, 등간변수, 비율변수

① 명목변수(nominal variable)

측정수준에 따른 변수의 분류에서 가장 낮은 수준의 변수는 명목변수이다. 명목변수란 이름 그대로 측정대상의 범주에 이름을 부여한 것으로서 측정대상의 특성을 종류별로 구분만하는 것이다. 따라서 변수의 값 간에 우열이나 대소비교를 할 수 없다. 명목변수의 예로는 성별, 혈액형, 인종, 직업 등이 있다.

② 서열변수(ordinal variable)

측정대상의 범주에 이름을 부여했다는 것은 명목변수와 다름이 없으나 변수 값 간에 우열이나 대소비교가 가능하다는 것이 명목변수와의 차이점이다. 서열변수의 예로는 학년이나 최종학력을 예로 들 수 있다. 학년의 경우 '1학년'보다는 '2학년', '2학년'보다는 '3학년'이 더 높은 학년이며, 최종학력의 경우 '초등학교 졸업자'보다는 '중졸자'가, '중졸자'보다는 '고졸자'가, '고졸자'보다는 '대졸자'가 학력이 높다. 그러나 각 범주 간의 우열이나 대소는 가릴 수 있지만 각 범주 간의 거리가 일정하다고는 말할 수 없다. 즉, '대졸자', '고졸자', '중졸자' 순으로 범주 간의 서열은 정할 수 있으나 대졸자와 고졸자 간에 존재하는 학력의 차이가 고졸자와 중졸자 사이에 존재하는 학력의 차이와 같다고는 할 수 없다.

③ 등간변수(interval variable)

대상자의 특성을 측정한 값, 즉 변수의 값 간에 우열이나 크고 작음이 있을 뿐만 아니라 각 측정값 사이의 거리가 일정한 변수이다. 그러나 두 수의 비율은 의미가 없다. 등간변수의 예로는 온도나 지능지수(IQ) 등이 있다. 10℃보다는 20℃가 더 높은 기온이고 20℃보다는 30℃가 더 높은 기온이다. 그리고 지능지수가 110인 학생은 지능지수 120인 학생보다 지능지수가 낮고 또 지능지수가 120인 학생은 지능지수가 130인 학생보다 지능지수가 낮다. 여기서 중요한 것은 범주들 간에 우열이나 대소를 정할 수 있을 뿐 아니라 10℃와 20℃ 간에 존재하는 10℃ 차이와 20℃와 30℃ 간에 존재하는 10℃ 간의 차이는 서로 동일한 거리라는 것이다. 이는 지능지수의 경우도 마찬가지이다.

등간변수의 중요한 특징 중 하나는 '실대 0'이 없다는 것이다. 절대 0이라는 것은 어떤 변수의 값이 '0'이라는 것은 그 지점에서는 그 변수의 값이 없다는 의미이다. 예를 들어 온도의 경우 0℃는 온도가 없다는 뜻이 아니다. 단지 인간의 편의를 위해 어느 지점의 기온을 0℃라고 표현하는 것뿐이다. 이처럼 '절대 0'이 존재하지 않으므로 등간변수들의 값 간에 비(ratio)는 의미가 없다. 즉, 20℃가 10℃보다 2배로 덥고, 30℃가 10℃보다 3배로 덥다고 할 수는 없다는 것이다. 마찬가지로 지능지수가 150인 사람의 지능이 지능지수 75인 사람의 지능보다 2배 지능이 우수하다고 할 수는 없다.

④ 비율변수(ratio variable)

변수의 측정수준에 의한 분류에서 가장 높은 수준의 변수로서, 변수값 간의 우열이나 대소, 비교, 차이, 비가 모두 의미를 가지는 변수로서 '절대 0'이 존재한다는 사실이 등간변수와의 차이점이다. 비율변수의 예는 체중, 키, 질량, 무게, 교육년수 등이 있다. 예를 들어 질량이 0이라는 것은 질량이 없다는 의미이다.

측정수준에 의한 변수구분에서 유의할 점 중 하나는 가장 높은 수준의 비율변수로부터 가장 낮은 수준의 명목변수까지 높은 수준의 변수에서 낮은 수준의 변수로, 변형은 항시 가능하나 낮은 수준의 변수에서 높은 수준의 변수로 변형은 불가능하다는 것이다. 측정수준이 높을수록 다양한 통계분석방법의 적용이 가능하고 보다 많은 정보를 포함하게 된다. 따라서 연구자들은 보다 높은 수준의 측정도구를 이용해 높은 수준의 변수를 얻을 수 있게 되도록 노력하여야 한다.

(8) 연속형 변수(continuous variable) vs 이산형 변수(discrete variable)

연속형 변수란 변수값 간에 단절되는 법이 없이 소수점 이하로 무수히 이어져 있는 값을 가지는 변수를 말하는 것이고, 이산형 변수는 값 간에 단절이 존재하는 변수를 말하는 것이다.

연속형 변수의 예로는 연령이나 체중, 온도 등을 들 수 있는데 연령의 경우 흔히 '10살', '11살' 등 1년 단위로 이야기하지만 사실 10살과 11살의 사이를 들여다보면 개월, 일, 시, 분, 초 등 소수점 이하로 끝없이 값이 이어져 있는 것을 알 수 있다. 또 사람 수, 방문횟수 등 관찰 값이 하나하나 떨어진 변수는 엄밀한 의미의 연속형 변수는 아니지만 통계분석 시에는 대부분 연속형 변수로 취급한다. 연속형 변수는 변수의 측정수준과도 관계가 깊은데, 측정수준에 따른 분류의 서열, 등간, 비율변수가 연속형 변수에 속한다. 단 서열변수는 가능한 값이 4~5가지 이상일 때만 양적 변수로 취급할 수 있다.

이산형 변수란 엄밀한 의미에서 관찰 값이 하나하나 떨어진 변수를 말한다. 명목형 변수와 가능한 값이 1~2개 밖에 안 되는 서열변수들이 여기에 속한다.

4. 질적연구

20세기 동안 제 학문을 주도해 온 2가지 패러다임은 논리 경험주의적 접근을 근거로 한 실증주의적 패러다임과 인본주의에 근거한 자연주의적 패러다임이라 볼 수 있다. 오랫동안 많은 학문분과들이 실증주의적 패러다임을 채택함으로써 자신의 학문분야를 '과학'으로 인정받기 위해 노력해왔고, 치위생학 역시 과학적 방법과 통계처리, 연역법, 인과관계 추론의 방법을 통해 기능적 수준에 머물렀던 치위생연구는 전문분야와 실증적 학문으로 발전해왔다.

그러나 실증주의적 패러다임은 인간을 너무 단순화하여 양적인 구성단위로서 인간이 갖는 의미를 축소함으로써 인간을 전체로 파악하는데 제한적이며, 살아 있는 인간을 역동적인 전체로 어떻게 되돌려 줄 것인가에 대한 단서를 제공하지 못한다. 따라서 경험주의적 연구자들이 자료라고 부르는 것을 성문화하는 것보다는 인간의 지식과 행동을 이해하는 것이 더 중요하며 인간의 주관적인 경험이 중요함을 인지하였다.

1) 질적연구의 개념

질적연구(qualitative research)란 통계적 과정이나 다른 양적 방법으로 얻어질 수 없는 성과를 가져올 수 있는 특수한 연구방법으로서, 다양한 방법을 통해 수집한 자료들로부터 비수학적 분석과정으로 결과물을 추출하는 연구 방법이다.

(1) 설명적 연구
- 사회현상에 있어 인과관계 설명한다.
- 인과관계 설명하기 위해 근거가 되는 이론들을 구축하는 활동이 주요 사항이다.
- 학문분야의 지식을 축적해가는 가장 빠른 방법이다. 주제에 대한 기초 정보 수집/결과에 영향 주는 요인, 영향력 발견으로 양적연구와 유사하다.

(2) 해석적 연구
- 현상에 대한 연구자의 주관적 해석과 이해를 추구한다.
- 사회현상의 의미에 대한 분류(classification), 해설(explication), 설명(explanation) 제시한다. 사회현상은 지속적으로 변화하며 이에 대한 사람의 해석도 쉬지 않고 변화하므로 해석은 상황종속적일 수밖에 없다.

(3) 비판적 연구

- 기존의 믿음/행동이 허위일 가능성 있다는 점을 부각시키고, 이를 변화시키려는 연구이다.
- 현상의 이면 위기(crisis)가 존재하며, 연구자는 이러한 위기의 원인을 드러내고 나아가 이를 통해 인간의 인식과 행동을 변화시키려 한다.

2) 질적연구의 요건

질적연구방법론은 사회적 세계에 대한 일련의 철학적, 인식론적, 이념적 가정들을 그 밑바탕에 깔고 있으며, 구체적인 질적연구방법들은 서로 다른 이론적 전통에 그 뿌리를 두고 있다. 질적연구에 인식론적 근거를 제공해 주는 주요 학문적 이론적 전통은 다양하지만 가장 대표적이면서 질적연구방법의 기초를 이루고 있는 것은 현상학, 상징적 상호작용주의, 해석학 및 문화기술학이다.

질적연구는 연구참여자의 눈을 통해서 보는 것으로 연구참여자의 관점을 수용하는 것이다. 질적연구물이 담아야 할 내용은 다음과 같다.

첫째, 어느 것을 연구했는가 연구대상에 대한 설명이 필요하다. 연구대상의 독특성이 연구의 핵심이 되기 때문이다.

둘째, 정보(자료)가 수집된 맥락에 대한 설명이 있어야 한다. 같은 정보라고 하더라도 그 의미나 가치가 맥락에 따라 다르기 때문이다.

셋째, 위와 같은 맥락에서 과연 누가, 무엇을, 언제, 어떻게, 왜 했는가에 대한 설명이 있어야 한다.

넷째, 실제 획득한 1차 정보가 제공되어야 한다. 비록 지면의 제약이 있다고 하더라도 인터뷰 내용 등 1차 정보가 어느 정도 제공되어야 그 내용이 실감 있게 전달된다. 핵심이론부분만 서술하지 왜 인터뷰 내용을 넣느냐고 지적하는 것이나, 아니면 저속한 용어를 학술논문에 넣는다고 비판하는 것이 적절치 않다.

다섯째, 이런 과정을 통해 얻은 지식을 하나 또는 복수 이상의 결론으로 요약해야 한다.

질적인 연구가 제대로 되기 위해서는 외부 심사자의 기준보다는 연구자 자신의 윤리가 더욱 중요하다. 윤리성이 확보되지 않은 질적인 연구는 인권의 침해는 물론이고 연구의 내용을 왜곡시키게 된다. 즉, 자칫 잘못하여 질적인 연구를 남용하면 거짓연구를 양산하게 될 것이다. 양적연구에 치우친 학계의 풍토를 감안하면 질적연구방법론의 확산도 중요하지만, 윤리성이 확보되지 않은 한국학술 풍토에서는 매우 주의를 요한다.

질적연구의 기본 요소로는 면담과 관찰을 통한 자료 수집, 연구결과를 도출시키는 분석과 해석절차, 그리고 서면 혹은 구두보고 등을 들 수 있다.

3) 질적연구의 유형

질적연구의 철학적 배경은 다양하지만, 참여자 중심의 시각에 근거하여 실재세계를 자연주의적, 총체적, 맥락중심적, 역동적, 개별적, 사례중심적, 연역적, 서술적으로 발견하고자 하며, 연구방법으로는 현상학적 접근, 근거이론적 접근, 문화기술지적 접근으로 연구가 진행되고 있다.

(1) 현상학적 연구

현상학은 살아 있는 인간 경험을 기술하는 것이며, 대상자의 실재에 접촉하는 총체적인 접근을 요구한다. 현상학(phenomenology)의 목적은 인간에 대한 이해의 증진으로 명상적인 사고를 기초로 행동의 본질을 설명하는 것이다.

현상학적 접근은 인간의 경험에 대한 연구에서 중요하다. 현상학 연구자들은 지각과 판단의 모든 복합성을 가진 인간에 의해 경험되는 현상을 연구함으로써, 경험의 개인적 의미를 파악하는 기술(description)을 통하여 대상자들의 실재에서 그들을 알고, 대상자들을 도울 수 있다.

현상학적 연구과정은 현상 확인, 연구의 구조화, 자료수집, 자료분석, 보고서 작성의 과정을 거친다. 자료수집 후 자료분석의 방법은 다양하여, 연구자는 이 현상학적 연구방법 중 어떠한 분석방법이 사신의 연구결과를 명확히 해주며, 현상에 맞는 결과를 도출할지 결정하기가 종종 어렵다.

현상학적인 방법은 몇 개의 학파가 있는 철학이며, 연구방법은 철학에 기인한다. 현상학적인 전통은 각자의 삶의 경험과 자신의 생활 세계 내의 목적을 이해하려고 노력한다. 현상학은 사물의 현상과 외양에 대한 연구이고, 그들의 본질을 발견하는 것이 연구의 궁극적인 목적이다.

따라서 현상학적인 접근은 치위생과정의 맥락과 일치하며 통합된 인간에 대한 치위생 개념을 파악하는데 가치가 있다. 현상학적인 방법은 대상자의 기술에 대한 분석을 통해 인간이 경험하는 현상의 의미를 밝히는 것으로, 귀납적이고 기술적(descriptive)인 연구 방법이다. 현상학적 연구에서는 자료의 엄격성이 중요하며, 절차적, 해석적, 반성과 평가의 엄격성이 요구된다.

치위생학적 지식을 탐구하는 방법론적 원리로서 현상학적 접근이 지니는 의의는, 현상학적 판단중지는 기존의 지배적인 이론과 실천의 모든 치위생 모델에 대해 그 모델 속에 포함되어 있는 선관념적 요소들을 불식할 것을 요구한다. 특히, 경험분석적 과학주의에 상응하는 인간관, 치위생 가치관 및 그러한 방법적 원리에 바탕한 질병 위주의 목적달성 이론에 대해 현상학은 깊이 있는 반성적 성찰의 근거가 된다는 점이다.

① 지오르기(Giorgi)의 방법

지오르기에 의해 제시된 현상학적 분석은 연구대상자의 기술에 대한 심층 연구를 통해 살아 있는 경험의 의미를 밝히는데 초점을 두고 있다.
- 사고를 시작하고 끝내는 단위, 즉 대상자의 언어 그대로의 자신의 경험을 표현한 본래의 의미단위(identifying natural meaning unit)를 규명한다.
- 대상자의 언어로 표현된, 대상자의 경험을 나타내는 주제(theme)를 규명한다.
- 연구자의 언어로 주제를 구체화하여 대상자의 경험이 대상자에게 의미하는 중심의미(focal meaning)를 규명한다.
- 중심의미를 통합하여 연구대상자의 관점에서 파악된 경험의 의미인 상황적 구조적 기술(situated structuraldescription)을 만든다.
- 상황적 구조적 진술을 통해 전체 대상자의 관점에서 파악된 경험의 의미인 일반적 구조적 기술(general structural description)을 만든다.

② 콜라이찌(Colaizzi)의 방법

콜라이찌는 자료수집 방법을 기술하는데 거의 전체적인 강조점을 두었다. 특히 그는 적절한 자료출처를 적절한 자료 수집방법과 일치시키는 것에 강조를 두고 있다.

콜라이찌 방법의 자료 분석과정은 다음과 같다.
- 자료에서 느낌을 얻기 위해 대상자의 프로토콜을 읽는다.
- 탐구하는 현상을 포함하는 구, 문장으로부터 의미 있는 진술(significant statement)을 도출한다.
- 의미 있는 진술에서 좀 더 일반적인 형태로 재진술(general rest atement)한다.
- 의미 있는 진술과 재진술로부터 구성된 의미(formulated meaning)를 끌어낸다.
- 도출된 의미를 주제(themes), 주제모음(themeclusters), 범주(categories)로 조직한다.
- 주제를 관심 있는 현상과 관련시켜 명확한 진술로 완전하게 최종적인 기술(exhaustive description)을 한다.

(2) 근거이론 연구

근거이론(grounded theory)은 기존의 이론이나 이미 정의된 개념으로부터 시작하지 않는다. 근거이론은 그 현상에 적합한 개념적인 틀이 아직 명확하게 확인되지 않고 개념 간의 관계에 대한 이해가 부족하거나 특정한 문제에 대한 반복연구가 수행되지 않아 적합한 변수들과 적합치 않은 변수들을 결정할 수 없을 때 사용하는 방법이다.

근거이론 연구의 진행은 예비 조사, 연구설계, 자료 수집, 자료 분석, 결과 해석 및 글쓰기의 순서로 이루어진다.

근거이론 접근방법의 주요 특징은 다음과 같다.

① 연구문제

근거이론 방법을 사용하는 주목적은 이론을 정립시키는 것이기 때문에 현상을 깊이 탐구하기 위한 자유스럽고 유동성 있는 연구 질문이 필요하다. 근거이론 방법에서의 연구문제는 '특정상황이나 어떤 조건하에서 상호작용과 그 상호작용으로 인해 초래된 결과 등을 설명하는 기본적인 사회 심리적 과정은 무엇인가?'이다.

② 이론적 민감성

이론적 민감성이란 자료 속에서 중요한 것을 알아보고 그것에 의미를 부여할 줄 아는 연구자의 능력으로 전문적인 경험 및 개인적인 경험과 학문적인 문헌으로부터 형성된다. 또한 분석과정 그 자체에서도 중요한데, 즉 자료를 수집하고 자료에 대해 질문을 던져서 비교하고 자신이 본 것에 대해 생각하면서 가설을 세우고, 개념과 그들의 연관성에 대해 잠정적으로 이론적인 기틀을 세워나가는 과정에서도 이론적인 민감성인 이해와 통찰력이 요구된다.

③ 문헌고찰

근거이론에서의 문헌고찰은 자료 분석을 좀 더 완벽하게 하기 위해서 수행되어지는 계속적인 과정으로, 완전한 진리라기 보다는 하나의 자료로서 취급되어진다는 특징을 가진다. 또한 연구의 종결부에 가서는 연구자는 기존의 문헌에서 얻게 되는 상황적 맥락에 의해서 자신이 도출한 이론이 어디에 위치하는지에 대한 아이디어를 얻을 수 있다.

④ 부호화

A. 개방 고딩(open coding)

개방코딩은 면밀한 자료검토를 통해 현상에 이름을 붙이고 범주화시키는 일종의 분석 작업이다. 범주화란 똑같은 현상에 속하는 것처럼 보이는 개념들을 그룹 짓는 과정을 말하는데, 범주를 발전시키기 시작할 때에는 그 속성에 의거해서 하게 되며, 그 때

속성은 일정하게 차원화된다. 즉, 속성은 범주의 특성이고 차원은 연속선상에서 속성의 위치를 나타내는 것이다.

B. 축 코딩(axial coding)

축 코딩은 범주나 하위범주들을 패러다임에 따라 관계를 짓는 것이다.

C. 선택 코딩(selective coding)

선택 코딩은 핵심범주를 선택하고 핵심범주와 다른 범주들을 연결시킨 관계에 대한 진술문을 만들고, 그러한 관계진술문에 대해서 확인하면서 범주를 좀 더 정련화시키는 과정이다.

⑤ 과정(process)

시간의 흐름에 따라 작용·상호작용을 순서적으로 연결시켜 놓은 것이 과정이다. 이 과정은 작용·상호작용이 중재적 상황 변수의 영향을 받아 변화하면서 이러한 변화에 따른 결과의 양상까지도 파악할 수 있도록 한다. 과정은 진행적인 특성이 있고 목표를 지향하는 의도적인 과정이며, 주로 기(phase)나 단계(stage)로 표기한다.

⑥ 상황모형(conditional matrix)

상황모형은 연구과정을 통해서 나온 결과를 요약하고 통합할 수 있는 기틀을 제시하는 것으로서, 다양한 종류의 상황적 조건(인과적, 맥락적, 중재적)과 결과가 작용·상호작용과 얽혀서 어떻게 관계를 맺고 있는가를 설명하는 마지막 단계이다.

(3) 사례연구(case study)

사례연구는 특정한 한 대상인 개인, 프로그램, 기관 또는 단체, 어떤 사건에 대해 조사 의뢰자가 당면하고 있는 상황과 유사한 사례를 찾아내어 철저하고 깊이 있게 총체적으로 분석하는 연구를 말한다. 한 사례에 대한 깊이 있는 분석을 통해 같은 상황 속에 있는 다른 사례들을 이해하고 도움이 될 수 있는 방법을 찾을 수 있다.

사례연구는 연구대상의 단위(unit)를 결정할 때 적어도 지리적으로 혹은 물리적으로 어느 정도 경계가 뚜렷한 경우를 의미한다. 사례의 크기는 천차만별인데, 질적연구를 할 때에는 대규모의 사례단위를 다루기는 쉽지 않다. 사례연구란 이런 연구대상에 대한 관찰, 인터뷰, 자료분석 등을 통해 어떤 현상을 기록, 보고, 진술하는 것이다.

사례연구과정은 〈표 5-2〉와 같다.

표 5-2 **사례연구과정**

항목	내용
연구 내용	상황의 본질과 자연상태 그대로의 질적 내용
연구 목적	이해, 기술, 발견, 가설 형성
연구의 특성	융통성, 점진적 개선과 출현
연구 상황	자연상태, 친숙한 상황
표본 크기	소구, 무작위가 아님, 이론적 근거
자료수집 방법	연구자의 일차적 참여, 인터뷰, 직접 관찰
분석방법	연구자에 의한 귀납적 방법

① **사례연구의 특성**

A. **개별성**

개별적인 특수한 상황이나, 사건, 프로그램 또는 어떤 현상을 중핵적인 연구대상으로 삼는다.

B. **기술성**

조사하고 있는 사건이나 개체에 대하여 있는 그대로 기술, 즉 서술하는 것이다.

C. **발견성**

연구하고 있는 현상에 대해 독자가 새로운 의미를 발견하여 경험을 확대하고 지금까지 알고 있었던 것을 확인하는 것이다.

D. **귀납성**

연구결과를 통해서 귀납적인 추리를 하게 된다. 주어진 맥락 속에서 자료를 검토하여 일반화 또는 개념 또는 가설을 생성한다.

② **사례연구의 목적**

사례연구는 어떤 현상에 대한 자세한 기술과 현상의 가능한 모든 설명과 평가를 목적으로 한다.

③ **사례연구의 절차**

A. **연구주제 설정**

- 연구목적이 현상의 탐색, 설명, 기술 또는 평가 등 어디에 포함되는지 명확하게 연구

문제를 설정하는 단계이다.

  - 연구대상을 선정한다.

B. 명제의 설정

  - 연구문제에 따른 명제를 진술한다.

  - 모든 연구문제가 반드시 명제를 지닐 필요는 없으며, 복수의 명제가 진술될 수 있다.

  - 어떻게, 왜라는 단어를 포함하는 1개 이상의 질문을 생성한다.

  - 문헌고찰을 통해 선행연구를 충분히 살펴보는 것이 중요하다.

C. 사례의 선택

  - 정보가 보다 풍부할 수 있는 사례를 선택한다.

  - 사례 선택은 무작위 표집도 가능하나 일반적으로 의도적 표집이 사용된다.

  - 사례 선택은 자료수집 이전이나 수집되는 동안에도 지속적으로 진행될 수 있다.

D. 자료수집을 위한 준비

  - 근거자료 수집을 위한 자료수집 도구 또는 실현가능한 자료출처를 정한다.

  - 자료 구축을 위한 데이터베이스를 갖춘다.

  - 기록물 수집, 면접, 관찰 등에 필요한 연구보조자를 훈련시킨다.

  - 본조사 전에 예비연구를 수행한다.

E. 자료 수집

  - 문서: 문서화된 모든 자료, 편지, 메모, 계획서, 보고서 등

  - 공문서기록: 지도, 각종 챠트, 조사데이터, 일기, 명단 등

  - 면접: 필요 시 연구자가 연구대상자의 동의를 구하고 녹음을 할 수도 있음

  - 직접관찰: 연구자가 직접 현장에 방문하여 자료를 수집하는 방법

  - 참여관찰: 연구자가 관심 있는 장면이나 상황에 직접 참여하여 자료를 수집하는 방법

  - 인공물: 현장 참여하는 동안 수집할 수 있는 모든 물질적 증거(장비나 도구, 노트, 컴퓨터 출력물 등)

F. 자료 분석

  - 자료를 배열화, 범주화, 도표화하거나 필요에 따라 연구의 흐름도를 도식화하여 자료의 중요한 측면에 대한 가독성을 높인다.

  - 자료분석이 모든 관련 근거에 기반하여 이루어졌음을 기술한다.

G. 보고서 준비

  - 사례연구보고서는 독자를 고려하는 것이 중요하고 가급적 전문용어 사용을 삼가하고 쉽고 명확한 표현을 사용한다.

④ 사례연구의 장점과 단점

　A. 사례연구의 장점

　　- 다양한 자료출처를 통해 현상을 연구하므로 보다 풍부하고 의미 있는 정보를 제공한다.

　　- 탐색적, 설명적, 기술적, 평가적 연구유형과 같이 다양한 목적의 연구가 가능하여 교육분야와 같은 연구에 적절한 연구설계를 제공해 준다.

　　- 현상과 맥락을 통합적으로 이해함으로써 생태학적인 접근을 가능하게 한다.

　B. 사례연구의 단점

　　- 특정 사례에 관한 연구이므로 연구결과를 일반화시키기 어렵다.

　　- 현실문제에 대한 구체적인 처방책을 제공하기 어렵다.

　　- 사례연구 결과의 타당도와 신뢰도를 점검하는 것에 소홀할 수 있다.

　　- 많은 양의 자료수집에 따른 경비와 시간이 소모될 수 있다.

　　- 사례연구를 수행하기 위해서는 전문적인 식견과 경험, 통찰력이 필요하다.

⑤ 사례연구에서 고려사항

　- 연구자는 증거자료를 수집하기 위한 적절한 자료수집 도구를 고안하는 데 주의를 기울여야 한다.

　- 특정 사람 등에 대한 조사나 분석을 포함하는 경우 연구과정에서 야기될 수 있는 윤리적 문제에 각별히 유의해야 할 필요가 있다.

　- 참여자의 사생활 보호, 연구 수행 전에 참여자들에게 연구의 목적과 방법, 협조사항을 충분히 알리고 동의를 받아야 한다.

(4) 문화기술지 연구(ethnography)

　사회집단의 총체적인 문화(holistic culture), 즉 집단구성원들의 행위, 신념, 가치, 그리고 그러한 것들을 구성하는 문화적 요소들을 종합적으로 기술하여 이해하고자 한다. 이 경우 특정 민족집단, 원시사회, 갱(gang)집단과 같은 특수하위집단을 대상으로 심층연구하기 때문에 전술한 사례연구의 범주에 들어간다.

　문화기술적 방법에서는 인간의 행위는 맥락적 성향(contextual orientation)이 있다고 본다. 즉, 인간의 행위는 사회문화적 환경의 맥락에서 형성되며 모든 인간시는 문화와 분리될 수 없다는 의미이다. 따라서 이 연구에서는 사회 문화적 유형이 행위자들의 활동을 어떻게 규정하는가에 관심을 갖게 되며, 활동이 일어나는 상황과 조건들에 집중한다. 문화기술적 연구는 양적연구와는 달리, 사전에 연구가설을 명확하게 설정하지 않고, 자료를 수집하면서 연구가설을 명확하게 하고 이에 따라 연구전략을 수시로 수정하는 전형적인 질적연구 방법의 특징을 가지고 있다.

CHAPTER 6

연구설계

Reseach Methodology
for Dental Hygiene
치 위 생 연 구 방 법 론

연구설계

연구설계(study design)란 연구를 어떤 방식으로 진행해 나갈지 미리 가상의 설계도를 만들어 보는 작업이라고 할 수 있다. 설계사는 건물을 짓기 위한 설계도를 만들 때 어떤 종류의 집을 지을지 구상하는 것으로, 즉 한옥으로 할지 양옥으로 할지, 각각에 알맞은 자재들은 무엇이 있으며, 그것들은 어디서 구해올 수 있는지, 비용은 얼마가 들 것이며, 어느 정도의 시간이 걸릴지, 또 건물의 각 부분들이 전체적으로 일관성 있게 조화를 이룰지, 어떤 순서로 건물을 완성할 것인지를 미리 예측하여 결정하게 된다.

적절한 연구설계를 하기 위해서는 우선 연구결과를 적용하려는 모집단을 정의한 후에 연구의 형태를 정의해야 한다. 조직적으로 잘 작성된 효율적인 연구설계는 연구자가 연구를 진행하기 전에 보다 신뢰도와 타당도가 높은 연구를 계획하여 연구의 시작부터 종료될 때까지 일관성을 유지하게 하는 지침서로써 매우 중요하다.

연구의 종류는 그 목적과 자료의 출처(source), 그 방법에 따라 비실험 연구와 실험 연구로 구분할 수 있다. 이러한 분류는 절대적인 것이 아니며 학자나 학문분야별로 이견이 있으며, 연구를 양적연구와 질적연구로 이분하기도 한다.

결론적으로 어떤 종류의 연구를 진행할 것인가 하는 선택기준은 다음의 3가지가 중요하게 고려되어야 한다.

- **연구목적**

연구를 통해 무엇을 얻고자 하는가?

- **연구문제의 성격**

연구목적이 동일하더라도 연구문제에 따라 적합한 유형의 연구를 선택해야 할 경우가 있다.

- **그 연구를 위한 방안의 존재여부**

활용 가능한 연구유형은 다양할 수가 있다.

연구설계에 따라 근거의 수준을 결정할 수 있는데, 예를 들어 어떤 연구자가 국내 구강암 환자들의 실태에 대한 이해를 마련하고자 하는 목적으로 설정한 경우와 국내 구강암 환자들이 구강암 환자로써 살아가는 경험에 대한 이해를 마련하고자 한 경우, 전자는 서술연구 등의 연구를 선택할 수 있을 것이고, 후자의 경우는 사례연구 방법을 선택할 수 있을 것이다. 또 연구목적은 동일하게 국내 구강암 환자들의 실태에 대한 이해마련이라고 하너나도 연구문제가 '현재 국내 구강암 환자들의 수와 거주지의 지역적인 분포는 어떤가?'하는 경우와 '국내 구강암 환자들의 생활상은 어떤가?'인 경우도 전자는 서술적 연구를 선택할 수 있는 반면, 후자는 사례연구나 대안적 연구를 선택하게 될 것이다.

1. 연구의 기본 절차

학문영역이나 학자 간에 견해가 다를 수 있으나 일반적으로 과학적 연구들은 다음과 같은 10가지 단계에 의해 진행된다.

1) 연구문제 범위 결정

연구문제의 범위를 결정하는 것은 어떤 영역의 문제를 연구하고자 하는지를 결정하는 것으로 포괄적이고 일반적인 언어로 정리될 수 있다. 예를 들면 '치과위생사들의 직무만족도', '치과위생사의 리더십', '구강보건교육' 등이 연구문제의 영역으로 규명된 것들의 예라고 할 수 있다.

2) 연구문제에 대한 기존 문헌고찰

전 단계에서 연구문제가 확실하게 규명될수록 이론 및 선행연구 조사는 연구자의 수고를 감소시킬 수 있다. 따라서 연구자가 규명한 연구문제영역에 관련된 이론 및 선행연구들을 광범위하고 심도 있게 검토해야 한다.

3) 연구문제 규정

실제 연구하려는 연구문제를 규정하는 것으로 이전의 두 단계의 결과를 통합해서 나올 수 있다. 문제영역의 규명에서 포괄적이고 일반적인 언어를 사용한 것과는 대조적으로 연구문제의 규정은 아주 구체적이고 명확한 언어로 기술되어야 한다. '치과위생사들이 인지하는 보상 적압도가 치과위생사들의 직무민족도에 영향을 미치는가?', '변혁적 리더와 거래적 리더가 이끄는 치과병·의원 조직의 업무성과에는 차이가 있을까?', '사이버 금연 클리닉의 교육효과가 기존 금연교육의 효과보다 더 우수한 것인가?' 등이 연구문제기술의 예시이다.

4) 변수 규명 및 가설 설정

먼저 독립변수(independent variable)와 종속변수(dependent variable)를 규명하고 독립변수는 아니지만 종속변수에 영향을 줄 수 있는 혼란변수(compounding variable)들을 확인한다. 그리고 독립변수와 종속변수를 가지고 귀무가설과 대립가설을 설정한다. 종속변수에 영향을 줄 수 있는 혼란변수를 통제하는 가장 좋은 방법은 대조군을 두는 것이며, 이것이 여의치 않을 경우는 혼란변수를 아예 독립변수로 정하거나 이들의 영향을 미리 예견하고 배제하는 통계방법을 적용하여 문제를 해결할 수 있다.

5) 결과해석에 영향을 주는 가설이나 제한점 입증

6) 내적 타당도(Internal validity)와 외적 타당도(External validity)를 고려한 연구설계

7) 자료수집 절차 설계

8) 통계분석 방법 결정

자료수집 절차와 통계분석 방법의 결정은 그 이전 단계, 즉 연구설계를 하는 단계에 포함시킬 수도 있다.

9) 연구수행

10) 수행된 연구결과에 대한 분석 및 해석을 통한 결론 도출

 ## 2. 비실험 연구설계

1) 비실험 연구설계의 기본 개념

인간을 대상으로 하는 연구는 대부분 비실험적이다. 연구자의 조작에 의해 사건이 발생하는 것보다는 자연현상에 의한 경우가 많아서 연구자는 사건이 발생하는데 영향을 미치는 요인과 이에 의해 파급된 결과에 관심을 가질 수 있다. 이때 가능한 연구설계가 비실험 연구설계(nonexperimental study design)이며, 다음과 같은 경우에 유용하다.

① 성, 연령, 혈액형, 질병명 등과 같이 본질적으로 조작이 불가능한 변수가 존재하는 경우에 유용하다.

② 흡연의 효과를 파악하기 위해 대상자에게 흡연을 강요할 수는 없는 것처럼 기술적으로는 가능하지만 윤리적인 이유로 조작이 어려운 변수일 경우에 유용하다.

③ 현상을 관찰한 후에 영향을 미쳤던 요인을 파악하려면 도출된 결과에서 원인을 찾는 것이므로 비실험 연구 접근에 유용하다.

④ 과대한 비용, 불충분한 시간, 협조부족 등 실험연구 진행이 현실적으로 어려운 경우에 유용하다. 즉, 구취 자가조절 프로그램의 효과를 연구하기 위해서 연구 대상자 모두에게 구취측정기를 사 줄 수는 없기 때문이다.

2) 비실험 연구설계의 유형

● 조사연구

조사연구(survey study)는 조사 대상과 직접 접촉하여 조사하는 일을 의미하며, 비실험 연구 분야에서 가장 대표적이고 광범위하게 사용되고 있다. 조사(survey)란 연구자가 관심을 가지는 현상에 대해 신뢰할 수 있고 타당성이 있는 측정도구를 이용하여 대상자에게 정보를 수집하는 것을 의미한나.

조사연구는 대상자에게 자가보고식의 질문지를 이용하여 자료를 수집하며, 자가보고는 다른 연구에서도 이용되고 있지만 질문지 이용법은 조사연구에서 유래되었다.

조사연구설계는 다양하게 이용되는 매우 유용한 연구방법으로 〈표 6-1〉과 같이 다각적인 기준으로 분류할 수 있다.

표 6-1 **조사연구설계의 유형**

분류기준	연구설계 유형
연구 목적	서술 조사, 설명 조사
연구 시점	후향적 조사, 전향적 조사
연구 기간	횡단적 조사, 중단적 조사
대상자	표본 조사, 전수 조사

조사연구의 전반적인 장점으로는 ① 형태가 다양하여 융통성 있게 연구를 수행할 수 있

으며, ② 최소의 시간과 비용으로 많은 대상자에게 정보를 얻을 수 있고, ③ 기존에 나와 있는 표준화된 연구도구나 설문지를 활용할 수 있다는 것이다.

단점으로는 ① 직접적인 접촉이 없는 자료수집방법을 이용할 때 응답회수율이 낮을 가능성이 있고, ② 질문내용이 응답자와 관련이 없거나 혼돈을 초래하여 의미없는 자료가 될 가능성이 있으며, ③ 수집된 자료가 피상적일 경향이 있고, ④ 조사연구로 얻은 자료는 인과관계를 파악할 수 없고, ⑤ 동일한 질문이나 응답범주에 대해 서로 다르게 해석하여 응답할 수 있다는 점이다.

① 연구목적에 따른 분류

연구목적에 따라 서술조사연구와 설명조사연구로 분류할 수 있다.

A. 서술조사연구(descriptive survey study)

서술적 연구는 관심 있는 사실을 체계적이면서 사실을 정확하게 기술하는 것을 목적으로 수행하는 연구이다. 양적 자료를 취합해서 이들의 해석에 중점을 두기 때문에 대부분 서술통계방법을 적용하게 된다. 인구센서스, 의료서비스에 대한 소비자 의견조사, 치위생(학)과 입학생들의 인구 통계적 특성조사 등이 서술적 연구의 예이다. 서술적 연구는 서술적 연구 자체만으로 결과를 발표할 수 있으며, 추론 통계방법을 적용하는 다른 종류 연구들에 포함되는 경우도 많다.

B. 설명조사연구(explanatory survey study)

설명연구는 개념의 차이나 관계를 파악하기 위한 연구로서 비교조사연구와 상관성조사연구가 이용된다.

ⓐ 비교조사연구(comparative survey study)

비교조사연구의 두 집단 설계가 기본형태라고 할 수 있다. 현존하는 결과를 관찰하고, 자료의 분석을 통해 가능성이 있는 원인요인을 파악해서 인과관계를 규명하는 것이 목적인 연구이다. 예를 들어 동일한 성별, 연령인 인구사회학적 배경(social economic status)을 가진 치주질환자와 정상인이 있을 경우 이 두 사람을 비교해서 둘 사이에 어떤 차이가 나고 어떤 것이 동일한지를 파악하려는 시도를 할 수 있다. 또한 이 둘을 비교해 보니 다른 모든 조건이 동일하나 치주질환자는 도시에 거주하고 20년 간 흡연을 계속해 온 사람이며, 정상인은 비흡연가이고 시골에 살고 있다는 것을 알았다고 할 경우 치주질환을 유발하는 요인으로 흡연 여부와 주거환경을 고려해 볼 수 있게 되는 것이다. 따라서 독립변수와 종속변수가 원인-결과의 관계가 있음을 알 수 있어 종속변수에 대한 독립변수의 효과를 예측할 수 있다.

ⓑ **상관성조사연구**(correlational study)

상관성조사연구는 변수들 간의 관계를 설명하기 위해 한 표본에 대해 동일한 시점에서 두 가지 이상의 변수를 측정하여 관련성을 알아보는 연구설계이며, 연구의 목적은 동일 기간에 서로 다른 인구집단 간의 건강문제와 특성 간의 상관성 또는 서로 다른 기간의 한 인구집단의 건강문제와 특성 간의 상관성을 보는 연구로, 분석의 단위가 인구집단과 같은 집단이 된다. 이 연구들은 질병 발생과 알려져 있거나 의심되는 원인에 의한 노출간의 관련성을 탐구한다. 생태학적 연구에서 관찰의 단위는 인구집단 또는 지역사회이다. 질병율과 노출수준을 각 인구집단에서 측정하고 양자 간의 관계를 조사한다. 질병과 노출에 대한 정보는 흔히 이미 발표된 통계에서 얻을 수 있기 때문에 자료를 수집하기 위한 비용이나 시간이 소모되지 않는다. 한편 비교하고자 하는 인구집단은 다양한 방법으로 정의될 수 있다.

특정 요인의 변화가 한 가지 또는 그 이상의 다른 요인 변화와의 관련성 정도를 알아보기 위한 목적으로 행해지는 연구로서 서로 어느 정도 관련성이 있는지 알 수 있지만 인과관계는 알 수 없다. 즉, 상관성연구를 통해서는 '~변수와 ~변수 간에 관계가 있다'만 이야기 할 수 있지, '어떤 변수가 다른 변수에 직접적으로 영향을 미치는지', '다른 변수에 의해 영향을 받는다'라고는 해석할 수 없다. 예를 들이 청소년의 구강보건지식이 높아지고, 구강보건태도가 좋아짐으로써 구강건강 수준이 높아졌음을 상관성연구를 통해 알았을 경우 '구강보건지식과 구강보건태도가 높아짐에 따라 구강건강 수준이 좋아졌다'라고 해석할 수는 있지만 '구강보건지식이 직접적으로 구강보건태도에 영향을 미쳤다'라고는 말할 수 없다. 즉, 상관성연구에서는 양변수를 연결하는 관계를 나타낼 수 있지만 그 방향은 명확하지 못하다.

② **연구시점에 따른 분류**

연구시점에 따라서 후향적 연구와 전향적 연구로 나눌 수 있다.

A. **후향적 연구**(retrospective study)

후향적 연구는 현재의 현상을 과거의 다른 현상과 연결하는 사후 조사연구이다. 암, 관상동맥질환 또는 당뇨병과 같은 만성 질환을 대상으로 연구를 진행할 때 발생할 수 있는 문제점은 통계적으로 의미있는 결과를 줄 수 있을 만큼 충분한 숫자의 환자를 모으기 위해서 많은 사람들을 대상으로 장기간 추적조사를 실시하여야 한다는 점이다.

게다가 발암물질에 대한 연구인 경우에는 위험요인에 처음 노출되고 실제 암이 발생할 때까지 매우 긴 잠복기가 존재하기 때문이 그 어려움은 더 늘어나게 된다.

즉, 이 모형은 코호트 연구가 갖는 장점은 모두 지닌 채 코호트 연구의 단점인 추적조사 기간을 줄일 수 있는 장점이 있다. 다만 이 모형에서는 대상 인구 집단에서 임의 표본으로 선택된 사람들의 과거 기록이 정확하여야 하고 동시에 이용 가능하여야 한다는 점이 전제가 되어야 한다. 일반적으로 사망률과 암 발생률은 비교적 신뢰성이 있는 자료이다. 그러나 천식과 같은 질환들은 후향적으로 조사하기가 쉽지 않을 수 있다. 후향성 연구를 위한 또 다른 조건은 연구를 위해 선정된 위험요인에 노출된 사람들이 연구하고자 하는 건강 문제를 초래하는 또 다른 요인들에 의해 영향 받지 않아야 한다는 것이다.

B. 전향적 연구(prospective study)

전향적 연구는 인과관계에 초점을 둔 비실험 연구로써 가설의 원인을 조사하여 가설의 결과를 도출하는 방향으로 연구를 진행한다. 대부분의 장기적인 연구들은 특정 질병을 발생시킨다고 알려졌거나 의심되는 원인과 그로부터 결과로 나타나는 특정 질병의 이환율이나 사망률간의 연관성을 조사한다. 가장 간단한 연구 모형은 위험 요인에 노출된 표본, 또는 코호트와 위험 요인에 노출되지 않은 대조군의 표본을 선정하는 것이다. 그리고 이 두 집단에 대해 전향적인 장기적인 연구를 실시하여 각각의 질병발생률을 측정하는 것이다. 마지막으로 그 결과로부터 노출된 위험요인에 의한 발생률, 기여 위험도 및 상대 위험도를 추정할 수 있다. 이 과정에서 대조군과 위험요인에 노출되는 연구 대상자들을 짝 지워서 양자가 모두 혼란에 노출되는 유형을 같게 만들거나 각각 혼란에 의한 노출 수준을 측정하여 통계분석을 통하여 그 차이를 보정함으로써 발생이 예상되는 혼란변수들의 영향을 통제할 수 있다.

이러한 전향성 연구의 목적은 질병의 발생 원인에 대한 가설을 검정하는 것이다. 따라서 전향성 연구에서는 대상 인구집단 중 연구하고자 하는 현재 질병을 가지고 있지 않은 사람들을 질병 발생의 원인으로 추정하는 특성에 따라 소집단(cohort)으로 분류한 다음 일정 시간 동안 이들 집단에서 새롭게 발생하는 질병을 조사하고 각 집단 간의 질병 발생률을 비교하는 연구 모형이다.

전향적 연구는 후향적 연구보다 경비가 더 들며 종속변수의 사례 수가 충분할 때까지 조사기간이 길어지지만 전향적 연구는 후향적 연구보다 인과관계를 설명하는데 훨씬 더 명확하다.

③ 연구기간에 따른 분류

연구기간에 따라 횡단적 연구와 종단적 연구로 분류되며, 이는 연구 수행 시점의 수에 따라 정해진다.

A. 횡단적 연구(cross sectional study)

횡단적 연구는 한 시점에서만 자료를 수집하는 연구설계이며, 어떤 정해진 시점 또는 특정 기간 동안 한 인구집단에서 건강문제나 건강 결정요인의 유병률 또는 양자 모두를 측정하는 연구를 말한다. 즉, 횡단적 조사연구의 목적은 ⓐ 특정 인구집단의 건강문제 또는 질병 빈도를 조사하거나, ⓑ 노출과 건강문제 또는 질병 빈도간의 연관성을 조사하는 것이다. 횡단적 조사연구의 분석 단위는 생태학적 상관성 연구와는 달리 개인이며 개인의 노출 수준과 질병 빈도는 같은 시점에 측정되는 특성을 갖는다. 또한, 질병군과 정상군의 노출 정도를 서로 비교함으로써 질병 발생의 원인에 대한 가설을 정립할 수 있게 된다.

횡단적 조사 연구를 통해 얻은 정보는 특정 건강문제의 원인을 탐색하기 위해 사용된다. 예를 들면 간식섭취 횟수와 치아우식 발생 간의 관계에 대한 연구는 횡단적 조사연구를 통해 조사할 수 있다.

그러나 횡단적 조사 연구의 결과를 해석할 때는 인구집단 및 연구 표본을 선정하는 과정에서 편견이 발생할 수 있기 때문에 주의해야 한다. 동물을 다루는 사람들의 천식에 대한 횡단적 조사 연구에서 만일 호흡기 증상을 가진 사람들이 다른 직업을 구하는 경우가 존재하는 경우에는 그들이 아예 연구 대상자에서 제외되기 때문에 양자 간의 연관성을 과소 추정하게 된다. 또한 횡단적 조사 연구모형은 원인과 그에 따른 질병 발생 간에 시간적 선후관계를 조사할 수 없기 때문에 무엇이 원인이고 결과인지 밝히는 것이 어렵다. 예를 들어 만일 단면 조사 연구에서 자이리톨 함유 식품의 섭취빈도와 치아 우식증 발생 간에 연관성이 있다고 나타난 결과를 해석할 경우 자이리톨이 치아우식증을 예방하였는지, 아니면 치아우식증이 심한 환자들이 치아우식증을 예방하기 위해 자이리톨을 많이 섭취하였는지 알 수가 없다. 이러한 어려움 때문에 원인을 규명하기 위한 횡단적 조사 연구는 후유증이나 장애를 거의 남기지 않는 질병이나 심각한 질병이지만 증상이 발현되기 전 단계에서 해당 질병을 연구하는 모형으로 적합하다.

횡단적 조사 연구의 또 다른 용도는 보건의료의 기획이다. 예를 들어 구강병 예방프로그램을 기획하고자 하는 구강보건전문가는 올바른 프로그램을 실시하기 위하여 인구집단의 구강질환의 위험요인들의 분포나 현황을 알아야 할 필요성이 있으며, 이러한 정보는 단면 조사 연구를 통해 파악될 수 있다. 횡단적 조사연구의 장점과 단점은 〈표 6-2〉에 기술되어 있다.

표 6-2 **횡단면 조사연구의 장·단점**

장점	단점
• 단기간에 수행할 수 있는 연구이다. • 인구집단을 대상으로 실시하기 때문에 일반화가 가능하다. • 만일 추정되는 원인이 결과보다 선행된다는 것을 보장할 수 있다면 단면조사연구를 통해서도 위험도를 추정하는 것이 가능하다.	• 일부 환자의 경우 원인이 질병 발생보다 선행된다는 것을 보장하기 어렵다. • 선택 생존(selective survival)의 문제가 존재한다.

B. 종단적 연구(longitudinal study)

종단적 연구(longitudinal study)는 같은 대상자를 여러 시점에서 측정하여 자료를 수집하는 연구설계이며, 장기적인 연구에서 연구 대상자들은 시간에 따라 위험 요인에 노출되거나 그에 따른 건강 상태, 또는 양자를 지속적이고 반복적으로 모니터링하게 된다. 이러한 연구 형태는 연구의 규모와 복잡성에 따라 매우 다양하다. 예를 들어 치위생(학)과 학생의 전문직에 대한 태도를 신입생을 대상으로 조사하고, 이 후에 그 학생들이 2학년, 3학년, 4학년으로 올라갈 때마다 계속 조사를 하는 것이다.

종단적 연구는 시간에 따른 변화와 현상의 연속성을 명확하게 볼 수 있다는 장점이 있다. 그러나 시간이 오래 걸리고 대상자들이 유사한 연구도구로 반복 응답하면서 시험 효과에 의한 영향을 받을 수 있다.

④ 대상자 형태에 따른 분류

전수 조사(census)란 전체 모집단을 대상으로 조사하는 것을 의미하며 예를 들어 인구조사가 있다.

표본 조사(sample survey)란 모집단을 대표하는 표본을 선정하여 이용하는 것으로 대부분의 연구는 표본조사를 통해 이루어진다.

3. 실험연구설계

실험연구는 연구자가 수동적으로 관찰하는 것이 아니라 적극적으로 참여하며 연구 목적에 따라 예방적 실험(prophylactic trial), 치료적 실험(therapeutic trial), 중재실험 (intervention trial)으로 분류할 수 있다.

- **예방적 실험** 예방접종
- **치료적 실험** 새로운 신약개발
- **중재실험** 위험요인을 제거하여 위험도를 줄이는 것. 즉, 금연을 시도하여 구강암 발생 감소

1) 실험연구설계의 기본 개념

관찰연구에서 연구자들은 인구집단을 대상으로 연구를 진행하게 된다. 따라서 위험요인에 노출된 연구 대상자들은 흔히 질병 발생에 독립적으로 영향을 줄 수도 있는 다른 요인에 의해 위험요인에 노출되지 않는 연구 대상자들과는 다른 결과가 나타날 수도 있다. 만일 그러한 혼란 변수들이 미치는 영향을 파악한다면 연구모형을 결정하거나 분석을 통해 그들의 영향을 통제할 수도 있으나 파악되지 못한 혼란 변수들이 작용하게 될 가능성은 여전히 남아 있게 된다.

실험연구는 변수들 간의 인과관계를 규명하기 위해 연구자가 독립변수의 조작에 의해 종속변수에서 나타날 수 있는 기대효과를 평가하는 방법이다. 따라서 실험연구에서는 연구자가 노출되는 사람과 노출되지 않는 사람을 스스로 정할 수 있기 때문에 혼란 변수들의 영향이 나타날 가능성은 그만큼 적게 된다. 만일 노출이 연구 대상자들에게 무작위로 할당되고 그들이 개인이나 집단에 구분 없이 구성원의 수가 충분히 크다면 부분적으로 미처 예상하지 못했던 혼란 변수의 영향은 통계적으로 크지 않게 된다.

물론 인간을 대상으로 한 실험연구에는 윤리적 제약이 존재하므로 우선적으로 고려하여야 한다. 즉 잠재적으로 중대한 위험요인에 연구 대상자들을 노출시킨다는 것은 허용될 수 없는 일이다. 이러한 제약 때문에 비록 실험적으로 특정 질병의 예방 전략들을 평가하는 것이 가능하더라도 질병의 원인을 밝히는 연구에 실험적 방법을 적용하는 것은 한계가 있다. 예를 들면 치주질환의 예방사업에 참여하기로 한 사업장들을 두 집단으로 구분하여 한 집단에는 치주질환의 위험요인에 대한 선별검사를 실시하고 다른 집단에는 아무런 조치를 취하지 않은 후에 발생하는 치주질환의 발생률을 비교함으로써 선별검사의 효과에 대한

평가를 하는 것은 비교적 수용 가능하다. 그러나 실험적 연구의 주요 목적은 무작위 할당 및 통제된 시험을 통해 치료 방법의 유형별 효과성을 평가하는 것이다.

실험연구는 기본적으로 실험에 영향을 주는 실험환경이 최대한 통제되어야 한다. 실험변수는 조작되고, 집단 간 무작위 배정을 하고, 최소한 하나 이상의 대조군이 선행되어야 한다. 대상 요인을 인위적으로 투여하여 미치는 영향을 측정하는 것이다. 실험연구설계 시 가장 중요한 고려사항은 무작위 할당, 맹검법, 위약투여법 등 세 가지가 있다.

① 무작위 할당

실험군과 대조군을 정할 때 해당 집단(eligible group)으로부터 무작위 추출로 대상을 선정하여 표본의 대표성을 높이는 것

② 맹검법

연구자나 피연구자 모두가 어느 군에 속하는지를 모르게 하는 것

③ 위약투여법

위약(placebo)은 진짜 약제와 색깔, 냄새, 모양, 맛 등이 같아서 투약자나 복용자가 구별할 수 없도록 만든 것으로 약리작용이 없는 것만 다르다. 이는 약리작용 이외의 심리적 작용(placebo effect)을 발생할 수 있는 편견을 제어함으로써 보다 정확한 결과를 도출하기 위해서이다.

2) 실험 연구설계의 유형

(1) 임상 실험연구(clinical trial study)

임상 실험연구의 중요한 개념은 인과성(causality)이다. 인과성이란 'X가 Y의 원인이다' 또는 'X에 의해 Y가 발생한다'의 진술을 확인하는 것이다.

변수 간의 인과 관계(causal relationship)를 확인하는 기준은 아래와 같다.

① 원인과 결과 요인이 동시에 변화한다. 즉, X가 변화하면 Y도 변화한다.
   예) 수돗물불소농도조정사업이 실시되는 지역에 살고 있는 아동은 치아우식증이 감소된다.
② X의 변화는 Y에 선행하여 발생한다.

예) 올바른 칫솔질을 수행하면 치주질환 발생이 감소된다.

　③ X가 Y에 주는 효과에 다른 변수의 영향이 없어야 한다.

　　예) 전문가 치간세정술이 치주질환 예방에 미치는 영향에 대하여 대상자의 연령이 혼동을 주지 않도록 한다.

위의 기준을 모두 만족해야 두 변수 사이에 인과관계가 성립하며 실험연구에서는 독립변수 X를 조작하여 인과관계를 설정할 수 있다. 예를 들면 구강암을 가진 환자들을 두 집단으로 구분하여 각각 외과적 질제술의 범위를 달리하는 치료방법을 무작위로 할당한 다음 각 치료방법에 따른 구강암의 재발률을 비교하는 연구모형이다.

그리고 이 연구결과 〈표 6-3〉과 같은 결과가 나타났다면 보다 넓은 범위의 외과적 절제술을 시행 받은 구강암 환자에서의 재발률, a/(a + b) = e%와 보다 좁은 범위의 외과적 절제술을 받은 구강암 환자에서의 재발률, c/(c + d) = f%를 각각 구한 다음 만일 e%와 f% 간에 차이가 통계적 유의성이 없으면 구강암에 대한 수술 실시 후 미용상 효과 및 구강 재건술을 용이하게 하기 위하여 구강암 환자들에게 넓은 범위의 외과적 절제술보다는 보다 좁은 범위의 외과적 절제술을 시술하게 된다.

표 6-3 **구강암에 대한 임상실험 결과**

치료방법	구강암의 재발		합계
	있음	없음	
넓은 범위의 외과적 절제술	a	b	a+b
좁은 범위의 외과적 절제술	c	d	c+d
합계	a+c	d+d	a+b+c+d

인과관계를 규명하고자 하는 목적은 인과-비교 연구와 동일하나 실험대상을 한 가지 혹은 그 이상의 처치그룹으로 무작위 할당하는 설계를 선택해서 이루어지는 연구라는 점이 인과-비교연구와의 차이점이다.

실험 연구는 조작(manipulation)과 통제(control), 무작위(randomization)의 세 가지 특성을 만족할 때만 사용할 수 있다.

① 조작이란 실험군에게 연구자가 실험처치나 중재를 시행하는 것을 의미하며, 조작되는

현상, 즉 처치하는 변수를 독립변수, 원인 변수 또는 처치변수라고 하며, 처치나 조작된 현상에 의해 귀착되는 결과를 종속변수, 결과변수, 효과변수라고 한다.

② 통제란 독립변수 이외에 종속변수에 영향을 줄 수 있는 여러 가지 변수(혼란변수)들이 독립변수가 종속변수에 미치는 영향을 최대한 차단하는 것이다. 통제의 방법으로 가장 보편적으로 사용되는 방법은 조작을 제외한 모든 조건이 실험군과 동일한 대조군을 두는 것이다. 대조군을 두지 않고 연구를 진행한 경우 어떤 결과가 실험처치나 중재에 의해 발생한 것인지 아니면 다른 어떤 변수들의 영향인지를 정확히 구분하기가 어렵다.

③ 무작위란 연구에 포함된 모든 대상자들이 실험군이나 대조군으로 배치될 확률을 동등하게 갖는다는 의미이다. 이는 인위적으로 대상자들을 배치할 경우 처음부터 여러 가지 조건이 다른 집단으로 구성되어 실험처치의 결과에 영향을 줄 지 모르기 때문에 이러한 가능성을 최대한 배제하려는 시도이다. 연구자가 주의할 점을 대상자들의 수가 너무 작은 경우는 무작위 과정을 거쳐도 동등한 조건의 집단으로 구성되기 어렵다는 것과 또 무작위를 한다고 해서 각 집단들이 완전히 동등한 성격의 집단으로 형성될 수 있다는 보장을 받지는 못한다는 점이다. 그러나 무작위는 각 집단이 최대한 동등한 성격과 조건을 가진 집단으로 형성되도록 하는 가장 신뢰할 만한 방법이다.

무작위로 통제된 시험에서 대상자들이 연구 표본에 선정되는 기준은 반드시 연령, 성 및 진단명과 같은 요인들에 대해 표준화되어야 한다.

실험연구는 변수들 사이의 인과관계를 확인하기 위한 가장 강력한 방법이다. 그러나 현실에서 인간을 대상으로 하는 치위생 연구의 경우는 실험 연구를 하는데 적지 않은 제한점이 있다. 현실적으로 실험연구 자체가 불가능한 상황도 많고, 대상자들을 인위적으로 실험군과 대조군에 무작위 할당하는 것이 불가능한 경우도 많다. 또 긍정적인 결과를 초래하리라 기대되는 처치를 대조군은 받을 수 없는 경우나 안정성에 대한 확증이 없는 처치를 실험군에게 시행하는 경우 모두 윤리적인 문제에 봉착하게 된다. 또 실험연구는 비용과 시간의 소모가 많은 경우가 대부분이다.

임상실험 중 어떤 질병의 결과는 비교하고자 하는 치료방법뿐만 아니라 환자 관리 시 발생하는 다른 측면의 영향을 받을 수 있다. 이 경우 환자를 관리하는 사람들에게 특정 환자에 대해 어떤 치료방법이 할당되었는지 모르게 하는 맹검법을 사용하는 것이 바람직하다. 그러나 연구 진행 중 치료방법에 따른 합병증이 발생하는 경우를 대비하여 신속하게 해당 환자에게 어떤 치료방법이 할당되었는지 알 수 있게 하는 조치의 마련도 필요하다. 따라서 비록 최종 책임은 환자의 진료를 맡고 있는 임상팀에게 있지만 가능하면 할당된 치료방법을 중단해야 하는 기준을 미리 규정해 둘 필요가 있다. 단, 임상시험 중 할당된 치료방법의 시행을 중단한 환자라 할지라도 추적조사와 결과의 평가는 계속 진행되어야 한다.

(2) 지역사회 실험연구(community trial study)

지역사회 실험연구는 지역주민이 모집단이 되어 이들 중 연구대상 집단이 확정되면 이들을 무작위 추출로 실험군과 대조군으로 배정한다.

지역사회 실험연구의 목적은 다음과 같다.

① 선택적으로 찾아온 병원 환자만을 대상으로 하는 임상실험 결과를 지역사회에서 확인할 목적이며, 이 때의 연구설계는 임상실험설계를 기준으로 한다.
② 어떤 요인의 인위적인 중재는 지역사회 전체에 미치는 영향이나 효과를 측정하는 것이 목적이다. 예를 들면 치아홈메우기 사업이 그 지역사회 아동의 치아우식 발생에 미치는 영향, 즉 치아우식 발생의 제어효과를 실험하는 것이다.

따라서 이때의 연구설계는 임상실험에서 개인 단위의 무작위 추출 배정이 아니라 생태단위(ecologic unit)이며 환경적으로 분리되는 집단이 표본단위가 된다. 집단의 단위결정은 연구의 규모에 따라 동, 읍, 시 또는 도 단위가 될 수도 있다.

예를 들어 수돗물불소농도조정사업이 충치예방에 대한 효과를 평가하기 위하여 지역사회 실험을 실시하여 〈표 6-4〉와 같은 결과를 얻을 수 있다. 이 자료를 통해 수돗물에 불소를 첨가하여 지역사회의 충치 누적 발생률(cumulative incidence rate) $a/(a + b) = e\%$가 불소를 첨가하지 않은 지역사회의 충치 누적 발생률 $c/(c + d) = f\%$보다 통계적으로 우월하게 크다면 수돗물불소농도조정사업이 충치 예방에 효과가 있다는 결론을 얻게 된다.

표 6-4 **수돗물불소농도조정사업 실시여부에 따른 치아우식발생률에 대한 지역사회 실험의 결과**

수돗물불소농도조정사업	치아우식증		합계
	+	−	
+	a	b	a+b
−	c	d	c+d

그러나 지역사회 실험에서 만일 비교하고자 하는 인구집단의 구성원 수가 작은 경우에는 임의할당을 실시한 것 자체가 효과가 없을 수 있다. 이 경우에는 대신 서로 다른 개입조치를 실시하는 집단 간에 비교를 극대화시키기 위하여 신중히 고려된 계획에 따라 개입조치를 할당하는 것이 도움이 될 수 있다.

그리고 연구 집단과 대조집단 모두에서 개입조치를 실시하기 전과 후를 평가함으로써 발생할 수도 있는 혼란 변수의 영향을 통제할 수 있다. 장기 추적조사와 마찬가지로 실험적 개입연구도 많은 시간과 비용을 필요로 한다. 따라서 인구집단을 대상으로 한 개입연구는 실시할 가치가 있는 경우에만 실시되어야 한다. 만일 인구집단을 대상으로 개입연구가 좋은 모형으로 잘 실시된다면 원인-효과에 대한 좋은 증거를 제시하게 될 것이다.

 ## 4. 연구의 통제

바람직한 실험 연구에서 연구자는 자신이 원하는 조건에 따라 하나하나의 변수들을 변화시켜 연구할 수 있다. 따라서 오직 특정 변수에 기인하여 발생하는 효과만을 관찰하는 것이 가능하다. 그러나 대부분의 연구는 실험 연구가 아니라 노출 유무 외에 일부 다른 다양한 특성들을 가지고 있는 사람들을 서로 비교하는 조사 연구이다. 따라서 연구하고 있는 변수의 노출과 관계없이 존재할 수 있는 다른 요인들의 차이가 질병의 발생에 영향을 미칠 수 있다. 이러한 특성들을 질병 발생과 연관되는 혼란변수(compounding variable)라고 말한다.

예를 들어 그 동안 많은 연구들이 요리사들에서 폐암 발생이 높다고 보고해 왔다. 비록 폐암 발생이 그들이 요리하는 동안 발생하는 연기 속에 포함되어 있는 발암물질에 기인한 결과일 수 있으나 단순히 직업 요리사들이 다른 사람들에 비해 흡연율이 높아서 나타난 결과일 수도 있다. 이것이 사실이라면 폐암 발생에서 흡연은 요리사라는 직업에 대한 혼란변수가 된다.

혼란변수가 되기 위한 조건들은 다음과 같다.

- 노출과 연관이 되어야 한다.
- 노출과는 독립적으로 질병 발생의 위험인자여야 한다.
- 노출과 질병 발생을 단지 매개하는 요인이 아니어야 한다.

혼란 변수는 관찰된 연관성이 원인-인과적인가 하는 여부에 영향을 준다. 즉, 사실-인과적 관련성이 없음에도 거짓-인과성을 발생시키거나 극단적으로 진짜 인과적 관련성이 있는데도 마치 없는 것과 같은 결과를 초래시킨다.

표준화 방법(standardization)은 다른 교란 변수들을 통제하는데 사용될 수 있지만 대개는 연령과 성을 통제하는데 사용된다.

1) 혼란변수의 통제

혼란변수를 통제하기 위해서 보다 일반적으로 사용되는 방법은 로지스틱 회귀분석과 같은 다변량 통계분석방법(multivariate statistical analysis)이 있다. 이러한 방법은 한 개인의 질병 발생 위험은 다른 위험요인과 교란 요인들에 대한 특정 노출요인의 함수로 표시될 수 있다는 것을 가정으로 삼고 있다. 예를 들어 한 사람의 폐암 발생의 교차비는 하나의 상수와 그의 연령, 흡연 여부 및 직업적 석면 노출 여부 등 세 개 모수들(parameters)의 결과물로 가정될 수 있다. 컴퓨터 프로그램은 실제 관찰된 자료에서 구축된 이 모형이 가장 잘 적합될 때의 세 모수의 추정치를 계산해낸다. 이 세 모수들의 추정치는 상호간에 서로 통제된 상태에서의 연령, 흡연 및 석면 노출에 대한 교차비를 의미한다. 이러한 모형구축기술은 매우 강력할 뿐만 아니라 프로그램이 있는 경우 개인용 컴퓨터를 사용하여 쉽게 계산해낼 수 있다. 그러나 통계적 모형 구축에 사용된 수학적 가정들이 항상 생물학적 현상을 반영할 수 없는 경우도 있기 때문에 이러한 통계프로그램 및 방법들은 세심한 주의를 기울이면서 사용하여야 한다. 혼란변수에 대한 통제방법의 장·단점은 〈표 6-5〉에 기술되어 있다.

표 6-5 **혼란변수의 통제방법**

구분	방법	장점	단점
연구설계단계	제한 (restriction)	• 편리하다. • 경제적이다. • 쉽게 분석할 수 있다.	• 제한된 기준 이외에는 적용이 불가하다. • 세밀한 제한을 시행하기 어렵다.
	짝짓기 (matching)	• 효율적이다.	• 비용이 많이 든다. • 유연성이 없다. • 대조군을 정하기 어렵다.

자료분석단계	층화분석 (stratification)	• 분석을 위한 가정이 필요 없다. • 직접적이고 논리적이다.	• 층화가 많이 필요한 경우 적절한 분석에 필요한 표본 수를 확보하기 어렵다. • 범주화에 따른 정보의 상실 가능성이 있다. • 다양한 층화방법을 선택하기 어렵고, 층화된 변수들로 인해 결과의 해석이 어렵다.
	다변량 통계분석	• 적은 표본수에도 적용 가능하다. • 개별 예측을 제공한다. • 연속변수로 처리함으로써 정보의 상실 가능성이 적다. • 한꺼번에 많은 노출 변수의 처리가 가능하다.	• 분석에 필요한 가정이 있어야 한다. • 모형 및 변수 선정에서 문제가 발생할 수 있다. • 분석에 사용되는 컴퓨터의 알고리즘을 선택해야 하는 문제가 있다.

2) 내적 타당도와 외적 타당도

훌륭한 연구는 혼란변수들을 적절히 통제하여 독립변수의 영향만으로 도출된 연구결과를 얻고, 그 결과는 연구가 진행된 상황 이외의 상황에서 일반화될 수 있어야 한다. 전자를 내적 타당도(internal validity)라고 하고, 후자를 외적 타당도(external validity)라고 하며, 내적 타당도와 외적 타당도가 확보된 연구만이 그 연구의 가치를 인정받을 수 있다.

(1) 내적 타당도

연구에는 독립변수와 종속변수가 존재한다. 주로 연구에서 변화가 있었는지 관심을 두는 부분은 종속변수이기 때문에 과연 연구를 통해 얻어낸 결과가 정말 연구자가 설정한 독립변수에 의한 변화인가 하는 것이 내적 타당도의 문제이다. 즉, 측정된 종속변수의 결과가 독립변수를 조작한 처치행위에 의해 나타나게 되었는지에 대한 규명이다.

실제로 실험처치에 의해 종속변수의 변화가 일어난다는 것은 연구자가 독립변수를 조작했다는 의미를 내포하고 있다. 그러나 실험처치가 가능하지 않은 변수, 예를 들어 성별, 종족 등의 변수도 현실에 존재하며 때로는 이러한 변수들이 연구결과에 중요한 영향을 미칠 수도 있다. 연구자가 이러한 변수들이 연구결과에 영향을 미친다는 것을 미리 확인하지 못해서 연구설계나 통계분석 시 그 영향력을 배제하지 못했다면 또 그러한 결과가 연구자가 설정한 독립변수만으로 초래된 결과라고 생각하고 연구를 완성한다면 그 연구의 내적 타당도는 하락하게 된다.

내적 타당도를 위협하는 요인은 다음과 같다.

① 사건(history)

연구가 진행 중인데 발생한 독립변수 이외의 어떤 사건이 종속변수에 결정적인 요인으로 작용하여 종속변수에 나타난 변화를 독립변수의 결과인 것으로 오해하게 되는 경우이다. 예를 들어 사이버 금연클리닉을 개설하고 그 교육효과에 대한 연구를 진행하고 있는데 매스컴에서 흡연청소년들을 처벌한다는 소식이 이슈화되었을 경우, 대상자들의 흡연욕구를 조금이라도 억제하는 효과를 가질 수 있을 것이다.

이러한 상황에서는 연구결과에서 연구대상자들의 흡연시도가 감소하였다고 하더라도 이것이 정말 사이버 금연 클리닉을 통한 교육의 효과인지를 확인할 수 없다.

사건에 의해 연구의 내적 타당도가 위협받는 것을 최소화할 수 있는 방법으로 가장 좋은 것은 대조군을 설정하는 것이다. 대조군을 두는 경우 실험군과 대조군 모두에게 사건이 발생할 것이므로 연구결과 발생한 차이는 순수하게 독립변수에 의한 결과라고 할 수 있다.

② 성숙(maturation)

연구가 진행되는 동안 독립변수의 영향이 아니라 단지 시간이 경과하기 때문에 대상자에게 심리적인 변화 또는 신체적, 생리적인 변화가 발생해 연구결과를 변화시키는 것을 의미한다. 예를 들면 새로 개발된 이유식이 유아들의 체중증가에 미치는 영향을 알아보고자 두 달 동안 새로운 이유식을 먹이고 나서 새로운 이유식을 먹이기 이전과 이후의 체중을 비교해 체중이 증가했다는 결과를 얻었다고 할 때, 이유식의 영향이 아니라도 정상적인 유아라면 성장발달 과정에서 체중이 정상적으로 증가하기 때문에 체중 증가를 단순히 새로운 이유식을 먹인 결과라고 할 수는 없다. 또 연구에 사용되는 자가보고형 설문지가 너무 긴 경우 대상자가 설문지를 완성하는 동안 점차 흥미가 감소하거나 피로가 심해져 실제와는 다른 결과를 나타내게 된 경우도 이에 포함된다.

성숙의 문제는 대조군을 두는 방법이나 연구 기간을 최대한 단축하는 것으로 어느 정도 해결이 가능하다.

③ 시험효과(testing effect)

조사기 여러 차례에 걸쳐 이루어질 경우 이전 조사의 결과가 다음조사의 결과에 영향을 미치는 경우를 말한다. 예를 들면 같은 대상자들에게 사전조사와 사후조사 시 같은 도구를 이용하는 경우 대상자들은 사전조사 때 자신이 응답했던 내용을 기억하여 사후조사 때도 사전조사 때의 응답과 동일한 응답을 할 수 있는데 이런 경우가 시험효과가 발생한 것이다.

시험효과를 차단하기 위한 시도로는 사전조사와 사후조사 간에 2~4주 정도의 시간차를 두어 사전조사에 대한 기억이 어느 정도 사라진 다음에 사후조사를 진행하는 방법이나 사전조사를 받지 않는 대조군을 별도로 설정하는 방법이 있다.

④ 측정도구(instrument)로 인한 문제

사전조사와 사후조사에서 다른 도구를 사용한 경우나 같은 도구를 사용했더라도 조사 시 상황이 달랐기 때문에 대상자의 반응이나 측정값에 변화가 초래되는 경우이다. 예를 들면 이완요법이 스트레스 완화에 미치는 영향을 파악하기 위한 연구를 진행하면서 사전조사에서는 자가보고형 설문지를 사용하고, 사후조사에서는 관찰법을 사용했을 경우 연구의 결과가 순수히 이완요법이라는 처치에 의해서만 발생한 것인지는 확증하기 어렵다. 또는 같은 관찰법을 사용한 경우라 하더라도 사전조사는 기온과 습도가 높은 여름날 에어컨디셔너가 고장난 상황에서 진행되고 사후조사는 기온과 습도는 낮아지고 에어컨디셔너도 수리가 끝나 쾌적한 환경에서 이루어진 것이라고 한다면 연구결과에서 발생하는 차이가 순수하게 이완요법으로 인해 발생한 것이라고 확증하기 어렵다.

⑤ 통계적 회귀(statistical regression)

이는 사전조사 때 극단값 쪽에 위치했던 대상자들이 사후조사 때에는 별다른 이유없이 덜 극단적인 값으로 옮겨지는 경우를 의미한다. 가장 좋은 해결책은 무작위 표출과 무작위 할당을 통해 실험군과 대조군을 구성하는 것이며, 신뢰성 높은 도구를 사용하는 방법으로도 어느 정도 해결이 가능하다.

⑥ 선택편견(selection)

처음부터 대상자 선정을 잘못해 실험군과 대조군 간에 동질성이 확보되지 않아 생기는 문제를 의미한다. 종속변수에 영향을 주리라 예상되는 변수나 표본추출과 할당과정에서 미처 통제를 못했을 때, 즉 무작위 할당을 하지 못하고 여러 가지 원인에 의해 편의표출을 한 경우 발생할 수 있는 문제이다.

치위생(학)과 학생들을 대상으로 온라인 강의 및 웹페이지를 이용한 '치위생 연구방법론' 비대면 교육과 면대면 교육을 통한 치위생 연구방법론 교육의 효과 간에 차이가 있는지를 연구하고자 한 경우 무작위 할당을 하지 못했다면 우연히 학업성취도가 높은 학생이 웹페이지를 이용한 교육을 받을 학생군에 많이 소속되는 결과가 생길 수도 있는

데, 이런 경우 사후조사결과 온라인 강의 및 웹페이지를 이용한 교육을 받은 학생들이 면대면 교육을 받은 학생들보다 사후 조사결과가 우수한 것으로 나타났다고 하더라도 이러한 결과가 단순히 교육방식의 차이인지를 확증할 수 없다.

⑦ 대상자 탈락(mortality)

실험도중에 대상자들이 실험에 참여하기를 중단하는 경우를 의미한다. 이 경우 탈락되는 대상자의 수도 중요하지만 어떤 특정한 특성을 가진 대상자들이 중점적으로 탈락했을 경우가 더 큰 문제를 초래한다. 예를 들어 교육프로그램의 효과를 측정하는 연구에서 학업성취도가 낮은 대상자들이 집중적으로 탈락했을 경우, 연구의 내적 타당도에 심각한 위협을 초래하게 된다. 보통 탈락률이 5% 내이면 큰 문제가 없는 것으로 간주하나 20% 정도이면 대상자 탈락의 원인을 분석하고 분석결과를 연구보고서에 제시해야 한다.

⑧ 후광효과(halo effect)

연구자가 연구 대상자의 어떤 특성에 영향을 받아 실제와 다르게 평가하는 경우를 의미한다. 후광효과는 실험자 편견 또는 실험자 효과라고도 한다. 후광효과를 배제하기 위해서는 연구자가 감정에 치우치지 않고 객관적으로 대상자를 평가하기 위한 훈련이 이루어져야 한다.

⑨ 처치의 확산(diffusion of treatment)

실험군과 대조군 간에 시행 중인 실험내용과 결과에 대해 서로 의사소통이 있었을 경우 연구결과가 순수하게 독립변수에 의한 것인지를 확증할 수 없게 된다. 예를 들어 구강외과수술 전 교육이 환자들의 불안에 미치는 영향을 알아보고자 실험군과 대조군을 구성하고 실험군에만 교육을 실시했는데도 불구하고 실험군의 대상자들이 대조군의 대상자들에게 교육을 받은 내용을 전달했을 경우 연구자의 의도와는 달리 연구결과의 내적 타당도에 위협을 받게 된다.

(2) 외적 타당도

연구에서 설정한 독립변수에 의해서만 종속변수에 변화가 초래되었는가? 즉, 연구결과가 순수하게 독립변수에 의한 결과인가 하는 것이 내적 타당도의 문제라면, 외적 타당도란 연구를 통해 도출된 결과를 얼마나 일반화할 수 있는가? 즉, 얼마나 대표성이 있는가 하는 문제이다.

연구가 특정한 시간에 특정한 사람들을 대상으로 특정한 장소에서 시행된 것임에도 불구하고 그 결과가 다른 시간대에 있는 다른 장소 다른 사람들에게도 동일하게 적용될 수 있을 때 연구결과의 일반화 가능성이 크다 또는 대표성이 높다고 할 수 있다.

내적 타당도를 위협할 수 있는 요인들을 미리 예측하고 연구설계 단계에서 미리 제한을 시도했던 것과 마찬가지로 외적 타당도도 연구의 질을 결정하는 중요한 요인이므로 연구설계 단계에서 미리 그 위협요인들을 사정하고 그를 최대한 제한하려는 시도를 해야 한다.

외적 타당도 위협요인들은 다음과 같다.

① 표본의 타당도

연구자가 연구에 사용한 표본이 모집단을 대표한다면 그 표본을 사용해 얻은 연구결과를 모집단에 일반화시키는 일은 어려운 일이 아니다. 그러나 만일 연구에 사용된 표본이 모집단을 대표하지 못하는 경우라면 연구결과 역시 모집단으로 일반화시키는 데 제한이 따를 것이다. 표본의 타당도를 높이기 위해서는 표집과정을 무작위로 진행하고 되도록 표본의 크기를 크게 하여야 하며, 이외에도 표본의 특성이 모집단의 특성과 최대한 유사하도록 해야 한다.

② 선택편견과 실험처치 간 상호작용

선택편견은 내적 타당도의 위협요인이고 또 선택편견이 내적 타당도에 영향을 줄 수 있는 다른 요인들과 상호작용했을 때는 내재적 타당도를 위협하게 되나, 선택편견이 실험처치 그 자체와 상호작용을 했을 때는 외적 타당도에 영향을 주게 된다.

치위생학과 학생들을 대상으로 교수방법의 차이가 학업성취도에 미치는 영향을 파악하기 위한 연구를 진행하는 경우를 예로 들 수 있다.

> A대학교 치위생학과의 한 교수는 '치위생 연구방법론' 과목을 교수함에 있어 서로 다른 교수 방법을 적용했을 때 학생들의 학업성취도가 유의한 차이를 나타낼 것인지를 연구하기로 하였다. 치위생 전공 대학생들을 두 그룹으로 나누고 한 그룹은 면대면 교육을 실시하고 다른 한 그룹은 인터넷을 활용한 원격교육으로 수업을 하도록 하였다. 그러나 우연히 B집단에 인터넷에 익숙하고 컴퓨터에 높은 흥미를 가진 학생들이 집중적으로 할당되었을 경우는 그렇지 않은 학생들이 B집단에 할당되었을 경우에 나타났을 반응과 차이가 있을 수 있다. 따라서 이런 경우의 연구결과를 인터넷에 익숙하지 않고 컴퓨터에 별 흥미가 없는 학생들의 집단으로 일반화시키는데 한계가 있다.

A집단-T: 사전지식 조사, X: 면대면 교육, T: 학업성취도 조사
B집단-T: 사전지식 조사, X: 원격비대면 교육, T: 학업성취도 조사

③ 사전검사와 실험처치 간 상호작용

사전검사와 실험처치 간에 상호작용이 일어났을 경우도 연구의 외적 타당도가 위협을 받게 된다.

> B대학교 치위생학과에서는 에이즈 환자들에 대한 일반인들의 잘못된 편견을 조금이라도 완화시켜 보고자 하는 시도로 축제기간을 이용해 B대학교 학생들을 대상으로 에이즈 환자들의 실상을 촬영한 영화를 상영하고 영화를 보고 난 뒤 함께 토론에 참여하도록 하는 행사를 시행하였다.

만일 행사에 참여한 대학생들이 에이즈 환자들에 대한 편견을 조사하는 사전조사를 받는 과정에서 에이즈 환자에 대한 자신의 편견에 대하여 돌아보는 계기를 가지고 자신의 편견에 대해 반성하게 되었다고 하면 곧이어 영화를 보고 토론에 참여하면서 가지게 되는 감정은 사전조사에서 가지게 된 감정과 함께 상승작용을 일으켜 평소와 다른 결과를 초래할 수 있다. 이런 경우 연구결과를 다른 모든 대학생들에게 일반화하는 데는 제약이 발생한다.

④ 실험에 대한 반응(reactive effects of experimental procedure)

연구과정에서 실험군에 속한 대상자들이 평소에 보지 못했던 도구나 평소와는 다른 인위적인 환경에 처하게 되는 경우, 또는 관찰법으로 자료수집을 하는 경우 대상자들이 관찰자의 존재를 알아차리거나 자신이 실험에 노출되었음을 알았을 때 평소와는 다른 식의 반응이 나타날 수 있다. 연구대상자가 자신이 연구대상으로 선정되었다는 사실을 알게 될 때 보통 때와는 다른 행동반응을 보이는 것을 호오손(Hawthorne) 효과라고 하기도 한다. 이러한 문제점을 최소화하기 위해서 맹검법을 적용하여 실험군에 속한 대상자나 대조군에 속한 대상자들이 자신이 어느 쪽에 속했는지를 모르도록 하는데 최대한의 노력을 기울여야 한다. 또 관찰법을 사용하는 경우 관찰자의 존재를 노출시키지 않는다거나 실험이 진행 중임을 알리지 않고 실험을 하는 경우도 방법일 수 있다. 그러나 이러한 방법들은 피실험자의 인권을 침해하는 결과가 되기 때문에 윤리적으로 어려운 문제를 야기시킬 수 있다.

CHAPTER 7

자료수집

Reseach Methodology
for Dental Hygiene

치 위 생 연 구 방 법 론

자료수집

 1. 자료수집의 기본 개념

자료수집은 연구 문제나 연구 가설을 입증하기 위한 정보를 수집하는 과정이다. 치위생학 분야에서 구강건강 수준이나 구강건강 관련요인에 대한 정보를 얻기 위해서는 측정과 자료수집을 연구 활동의 가장 기초적인 연구방법으로 고려할 수 있다. 개인이나 인구집단의 건강수준을 정확하게 파악하기 위해서는 측정에 대한 원칙과 수집된 자료에 대한 신뢰성이 보장되어야 한다.

과거에는 건강관련통계에 대한 측정이 주로 질병이나 사망과 같은 부정적 측면의 건강상태였으나, 오늘날은 질병의 예방 수준에서 건강증진 수준으로 확대 발전해 나감으로써 여러 가지 건강증진 정책이나 활동에 의한 건강 수준 변화를 측정하고, 건강 자체의 측정이 강조되고 있다. 치아상태, 치면세균막 지수와 같은 물리적 개념은 측정도구가 잘 개발되어 있는 반면에 대상자의 구강건강을 다각적으로 정확하게 측정하기 위해서는 측정도구는 연구자가 개발하거나 기존에 신뢰도와 타당도가 입증된 것을 사용할 수 있다.

어떤 연구자가 치과위생사의 업무 스트레스가 치위생 업무수행 정도에 미치는 영향을 확인하고자 하는 연구를 수행하고자 할 때, 우리나라에 근무하는 치과위생사 모두를 대상으로 조사를 수행한다면 한국 치과위생사들의 스트레스 정도를 파악한 대표적인 논문이 될 것이다. 그러나 현실적으로는 비용, 시간, 연구에 필요한 인력 등의 이유로 대상자 전부를 연구하는 것은 불가능하다. 조사하는 시점에 근무하는 치과위생사들의 정확한 인원 수를 파악하는 것도 불가능할 수 있다. 이러한 이유 때문에 연구자들은 되도록 연구대상자 전체의 특성을 최대한 반영할 수 있는 일정 수 이상의 연구대상자를 선정하고 시행하게 된다.

조사 수행 시 가장 중요한 것은 '무엇을 조사할 것인가'하는 조사의 목적이 분명해야 한다는 점이다(표 7-1). 조사의 목적에 따라 연구대상자의 범위, 연구도구, 예상되는 연구결과도 달라진다. 결국 조사는 연구의 대상이 되는 모집단의 진정한 대답을 얻고자 하는 것이다.

표 7-1 **조사의 목적**

조사의 목적
• 조사를 통해서는 반드시 정해진 목적 및 관심을 두고 있는 의문에 답할 수 있는 정확한 정보를 얻을 수 있어야 한다. • 조사는 충분한 검정력을 갖고 그 결과를 일반화할 수 있도록 대상 모집단을 대표할 수 있는 적절한 크기의 표본을 대상으로 실시되어야 한다. • 조사에 사용되는 설문은 명확하고 간결해야 하며 이미 정답이나 응답을 암시하는 설문은 사용하지 말아야 한다. • 연구의 주요 목적과 관계없는 내용에 관한 설문으로 비용과 시간 등 연구에 투자하는 노력이 낭비되지 않게 경제적이어야 한다. • 마지막으로 조사는 윤리적이어야 한다.

일반적으로 조사(survey)는 자료 수집을 시작하기 전 단계, 자료를 수집하는 단계 그리고 자료 수집을 완료한 단계로 구분된다(표 7-2). 자료 수집을 종료한 다음에는 이미 조사의 기획 단계에서 실시하기로 결정된 사항 외에 지나친 통계적 검정을 하거나 연구결과의 확대 해석을 지양하는 것이 좋다.

표 7-2 **조사수행 시 단계별 고려할 사항**

단계	고려사항
조사 전 단계	① 조사를 통해 얻고자 하는 답에 대한 설문의 정의 ② 조사를 위한 표본추출 전략의 수립 ③ 설문지의 구성 및 예비조사의 방법 결정 ④ 담당할 사람들에 대한 교육 · 훈련 ⑤ 조사의 타당도를 검사할 방법에 대한 검토 및 결정 ⑥ 최종결과 분석방법의 검토 및 결정 등을 사전에 검토하여 결정
조사 단계	① 검토 및 타당도의 교차 검사 ② 실제 조사 진행과정에 대한 조사계획표의 일정과 예산 검토 및 평가
조사 후 단계	① 수집된 모든 자료를 교차비교 등을 통해 검토 ② 계획된 주요 분석 실시 ③ 마지막으로 기타 필요한 탐색적 자료 분석 실시

2. 표본추출

1) 기본개념

(1) 모집단

연구대상으로 선정된 전체 대상자를 모집단이라고 한다. 예를 들어 우리나라 치위생(학)과 학생들의 치위생 전문직관에 대한 연구를 하고자 할 때 연구대상이 되는 모집단은 현재 치위생(학)과 대학에 재학 중인 학생들 모두가 된다. 그러나 우리나라 모든 치위생(학)과 대학생들을 대상으로 연구를 하기란 실질적으로 불가능하다. 모든 치위생(학)과 학생들의 치위생 전문직관을 측정한다는 자체가 방대한 작업이 될 수 있으며 너무 많은 시간과 비용이 들 것이기 때문이다. 또 연구가 오랜 시간에 걸쳐 이루어지므로 연구과정에서 치위생(학)과 대학을 졸업하는 대상자도 생길 수 있기 때문이다. 특히 순수 실험연구인 경우는 모집단 전체를 연구의 대상으로 한다는 것이 거의 불가능하다.

(2) 표본

실험 연구이든 비실험 연구이든 연구의 대상을 모집단으로 하는 것은 현실적으로 불가능하기 때문에 모집단을 연구할 수 있는 가장 합리적인 방법은 모집단을 대표하는 대상들을 추출하는 것이다. 표본이란 모집단을 대표하는 추출된 대상의 군집을 말하는 것이다. 치위생(학)과 학생들의 치위생 전문직관에 대한 연구를 위해 전국의 치위생(학)과 대학 졸업반 학생 5,000명 중 무작위 추출된 200명의 치위생(학)과 학생들을 그 예로 들 수 있다. 200명은 표본의 대상자 수이며, 이를 표본크기(sample size)라고 한다.

2) 표본추출

모집단을 가장 잘 대표하는 표본을 만들기 위해 표본을 구성하는 대상을 모집단의 전체 대상들로부터 추출하는 과정을 말한다. 표본추출을 하는 과정도 여러 방법이 있으며, 표본추출 방법으로는 단순무작위표본추출법, 층화표본추출법, 집락표본추출법 등의 방법이 있다.

모집단에서 표본을 추출할 때 가장 중요한 점은 어떻게 하면 모집단과 가장 유사한 표본을 구성하는가 하는 문제이다.

표본추출 방법은 크게 확률표본추출과 비확률표본추출으로 구분할 수 있다. 확률표본추출은 모집단의 모든 대상자가 표본으로 추출될 가능성이 동일한 방법이고 비확률표본추출은 모집단의 대상자들이 표본으로 추출될 가능성이 서로 동일하지 않은 방법이다. 확률표본추출의 최대 장점은 표본이 모집단을 대표하는 정도를 일컫는 대표성이 보장된다는 것인 반면에 비확률표본추출은 비교적 간단하고 쉬운 방법으로 표본을 구성할 수 있다는 것이다.

(1) 확률표본추출법

① 단순무작위표본추출(simple random sampling)

단순무작위표본추출법은 확률표본추출법 중 가장 기본적이고 원칙적인 표본추출방법으로, 모집단의 모든 구성원이 표본에 뽑힐 확률이 같고, 하나의 구성원이 추출되는 사건이 다음 구성원이 표본에 뽑히는 데 영향을 주지 않는 표본추출방법이다(그림 7-1A). 단순무작위표본추출을 위해, 연구자는 모집단의 수(N)를 파악하고 표본의 수(n)를 결정한 다음 추출 틀을 준비한다. 표본추출 틀이란 연구대상이 될 모집단의 모든 대상자들을 나열한 목록이다. 추출 틀 상에 나타난 모집단의 모든 대상자에게 1번에서부터 N번까지 일련번호를 제공하고, 마지막으로 난수표나 제비뽑기, 컴퓨터 추첨 등의 방법으로 n명이 될 때까지 모집단에서 무작위로 대상자들을 뽑아 표본을 구성한다. 단순무작위표본추출은 표본의 대표성을 확보하는데는 훌륭하지만 모집단이 너무 큰 경우에는 사용하기가 어렵다.

② 계통표본추출(systematic sampling)

계통표본추출은 모집단에서 매 k번째에 위치한 대상자를 추출하는 방법이다(그림 7-1B). 단순무작위추출이 모집단이 지나치게 큰 경우에는 사용하기가 곤란한 방법인 반면에 계통추출은 모집단의 크기가 비교적 큰 경우에도 쉽고 빠르게 표본추출을 할 수 있다. 예를 들어 특정 대학교 1학년 학생들을 대상으로 하여 신입생들의 수능성적과 1학년 말의 학업성취도 간의 관계를 알아보고자 1학년 학생 5,000명 중 100명의 표본을 가지고 연구하기로 하였다. 만일 표본추출 방법으로 계통표본추출을 쓰고자 한다면 1학년 학생을 모두 나열한 추출 틀에서 매 50배수의 자리에 위치한 학생들만을 추출하면 된다.

이 방법은 단순무작위표본추출에 비해 효율적으로 추출을 할 수 있다는 장점이 있는 반면, 모집단의 구성요소가 우연히라도 일정한 순서로 배열되어 있을 때는 대상자의 선택 편견을 초래할 우려가 있다. 위의 예에서 매 50배수에 위치한 학생들 중 대다수가 우연히 수능성적과 학업성취도 모두가 우수한 학생들이었을 경우 연구결과는 모집단의 현실과는 다르게 나타날 수 있다.

③ 층화무작위표본추출(stratified random sampling)

층화무작위표본추출은 모집단의 대상자들의 두 개 이상의 계층이나 하위집단으로 구분한 다음 각 계층이나 하위집단에서 무작위, 즉 단순무작위표본추출이나 계통표본추출법으로 대상자들을 뽑아 표본을 구성하는 방법이다. 이처럼 모집단의 대상자들을 여러 계층이나 하위 집단으로 구분해서 표집을 하는 방법은 표본이 모집단을 잘 대표할 수 있도록 하려는 시도이다. 따라서 층화무작위표본추출을 위해 구분되는 계층이나 하위 집단은 연구의 종속변수에 영향을 미치게 될 독립변수(성별, 연령, 교육수준, 경제상태 등)를 이용해서 구분한다.

일반적으로 층화무작위표본추출은 모수 추정치의 오차를 항상 작게 만들어 주기 때문에 표본추출 시 이 방법을 많이 사용한다. 층화무작위표본추출은 표본의 크기를 모집단을 구분한 각 계층(strata)의 크기에 비례하도록 만드는 것으로 표본의 크기는 결국 각 계층의 변이(variability)에 반비례하게 된다.

그러나 어떤 표본추출 방법을 사용하든 가장 중요한 것은 각 표본추출단위가 표본으로 선택될 확률을 정확히 아는 일이다. 만일 표본추출단위 간에 표본으로 뽑힐 확률이 다르다면 최종 선택된 표본이 모집단을 대표할 수 있도록 차이가 나는 만큼 표본추출단위별로 가중치를 부여하여야 한다.

④ 다단계표본추출(multiple steps sampling) 또는 집락표본추출(cluster sampling)

다단계표본추출은 과거에 집락표본추출이라 하기도 했다(그림 7-1D). 다단계 표본추출에서는 가장 먼저 첫 번째 표본추출단위를 결정하는데, 이는 도시 또는 학교와 같이 큰 단위가 해당된다. 다음으로는 선택된 큰 단위의 하나에 대해 거리명 또는 학년같은 중간크기의 단위를 적용한다. 마지막으로는 가구 또는 학생 개인같은 표본추출단위를 사용하여 표본을 추출한다.

층화표본추출방법과 마찬가지로 이 경우에도 각 구성원들이 표본으로 선택될 확률이 표본추출단위 간에 동일한 지를 평가하여야 한다. 만일 다르다면 역시 그에 상응하는 가중치를 부여하여야 한다. 모집단의 대상자 한 명을 직접 무작위로 뽑는 것이 아니고 단계적으로 집단에 의해 뽑아 나가는 것이다. 예를 들어 병원에서 치주질환 치료를 받고 있는 치주질환 환자들을 대상으로 하는 연구를 진행하고자 할 때 전국 모든 치과병원에서 치료를 받고 있는 모든 치주질환 환자들을 대상으로 하여 무작위로 표본추출을 진행한다는 것은 실제적으로 불가능하다. 이런 경우 집락표본추출법을 이용해 추출을 할 수 있다. 우선 전국의 모든 도, 광역시 및 특별시의 목록을 만들고, 거기서 5개 지역을 무작위로 선정하고, 그 다음 그 5개 지역에 있는 치과병원들의 목록을 만들어 다시 10개의 치과병원을 선정하고, 그 다음 그 10개 치과병원에서 치주질환 치료를 받고 있는 대상자들의 목록을 만든 다음 그 대상자 모두를 표본으로 하거나, 아니면 그 대상자들 중 몇 명을 무작위로 뽑아 표본에 포함시킬 수 있다. 집락표본추출 방법은 단순 혹은 층화무작위표본추출 방법보다 빠르고 쉽게 표본을 구성할 수 있으나 그만큼 표본추출 상의 오류가 발생할 가능성도 커진다.

대규모 연구의 모집단에서 연구 표본을 선택할 때 선별과정이 무작위로 이루어진다. 즉, 연구 모집단의 각 구성원이 연구 표본에 추출될 확률이 '0'이 아니면서 모두 동일하다면 통계적 추정은 더 정확해질 것이다. 이를 위해는 먼저 연구 모집단에 대한 센서스 자료나 명부가 필요하다. 한 종합병원 진료권 내의 성인 남자 주민등록 자료에는 성과 연령에 대한 정보가 담겨져 있다.

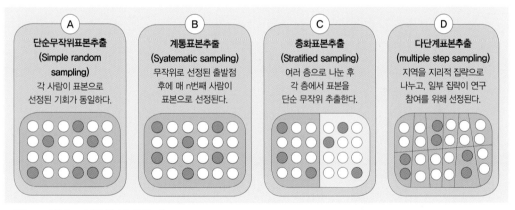

그림 7-1 **확률 표본추출 형태의 예**

(2) 비확률표본추출법

① 편의추출(convenience sampling)

편의추출은 임의추출이라고도 하며 연구자가 자신이 접근하기 쉽고 편리한 방법으로 표본을 선출하는 방법이다. 예를 들어 치아교정 환자들의 만족도에 대한 연구를 하려하는 치과위생사가 자신이 근무하는 치과병·의원에 내원하는 환자들만을 대상으로 표본을 구성하는 경우나, 대학생들의 건강증진행위에 대한 연구를 위해 교수가 수업시간에 자신의 수업을 수강하는 학생들에게 설문지를 나누어주는 경우들이 편의추출 방법을 이용한 예이다.

편의추출은 연구대상자가 빨리 손쉬운 방법으로 대상자를 구할 수 있다는 것이다. 반면 연구자가 접근하기가 수월했던 대상자들만으로 표본을 구성하였으므로 대표성에 문제가 있다.

② 할당표본추출(quota sampling)

할당표본추출은 연구대상이 되는 모집단의 특성을 미리 파악해 모집단을 여러 개 계층 또는 하위집단으로 나누고 각 계층 또는 하위집단이 모집단에서 차지하는 비율을 파악하여 그 비율대로 대상자를 편의추출하는 방법이다.

모집단의 계층이나 하위집단을 형성하는 변수는 연구의 종속변수에 영향을 미치리라 생각되는 변수들이다. 예를 들어 어떤 지역사회에서 치매노인에 대한 태도를 조사하려는 연구를 시행하려면 가족원 중에 치매노인이 있는 경우 태도에 영향을 줄 것으로 추정해서 모집단의 대상자들을 가족원 중에 치매노인이 있는 대상자들과 그렇지 않은 대상자 두 군으로 구분하여 이 두 군이 모집단에서 차지하는 비율대로 각 군의 대상자들을 편의표본추출하는 것이다.

할당표본추출 방법은 모집단을 여러 개 계층 또는 하위집단으로 나누고 계층을 감안하여 표본추출을 하는 것은 확률표본추출법의 층화무작위표본추출과 비슷하지만 층화무작위표본추출이 각 계층의 대상자를 계층별로 무작위표본추출하는 것과는 달리 각 계층의 대상자를 편의표본추출한다.

할당표본추출 방법은 확률표본추출 방법들에 비해 비교적 간단하고 시간과 노력이 덜 드는 방법이면서 편의표본추출보다는 모집단의 특성을 많이 고려한 방법이다.

③ 의도표본추출(purposing positive sampling)

의도표본추출은 연구문제에 대해 가장 적절한 정보를 가지고 있으리라 생각되는 대상자를 연구자의 판단하에 결정, 표본추출하는 방법으로 판단표본추출(judgemental sampling)이라고도 한다. 표본추출 전반의 과정이 연구자의 주관적인 판단에 의해서만 이루어지므로 추출된 표본이 모집단의 특성을 잘 반영하고 있는지를 판단할 방법이 없다. 또한 표본추출에 편견이 이루어질 확률도 크다는 것에도 불구하고 의도표본추출은 일부에서 매우 유용한 방법이다. 우선 의도표본추출은 한정된 집단의 경험에 대한 심층적인 자료가 필요한 경우에 적절하다. 자녀를 잃은 부모들의 경험에 대한 심층적인 자료가 필요한 경우, 최근 자녀를 잃고 한 달이 경과하지 않은 부모들만을 수집하는 경우가 그 예이다. 또 의도표본추출은 도구개발을 위한 사전연구에도 적합하다. 치아교정환자의 구강위생관리 프로그램을 개발하고자 할 때 치아교정환자에 대해 가장 정확하고 폭넓게 알고 있다고 생각되는 교정과에 근무하는 치과위생사들과 치아교정환자, 그리고 교정치과의사들을 표본으로 한 경우가 그 예이다.

④ 눈덩이표본추출(snowball sampling)

눈덩이표본추출은 다른 추출방법으로는 연구대상자를 구하기가 매우 어려울 때 사용하는 방법으로, 일단 연구대상자 한, 두 명만 파악이 되면 그 다음부터는 그 대상자들로부터 자기 동료나 친구들 중에서 같은 문제를 가지고 있는 대상자를 소개받는 것을 반복해 연구대상자를 구하는 방법이다. 에이즈환자를 대상으로 하는 연구, 강간당한 경험이 있는 대상자를 필요로 하는 연구, 성병환자, 동성애자, 마약 중독자, 신체장애자 등을 필요로 하는 연구에서 연구대상자를 선정하기가 현실적으로 매우 어려운 일이다. 눈덩이표본추출은 표본의 대표성을 보장할 수 없는 방법이지만 위와 같은 경우 가장 현실성 있는 표본추출 방법이다.

3) 표본 크기

표본 크기는 일반적으로 연구 수행에 있어 필수적인 시간과 자금을 결정하는데 가장 중요한 요소이므로 표본 크기를 결정하는 것은 임상연구를 하는데 중요하다. 임상연구의 비용에 책임을 지는 구성원들은 필요한 연구 대상자 수를 추정하는데 사용되는 가정(assume)과 표본 크기의 계산 방법을 면밀히 조사한다. 표본 크기를 검토하는 그들의 업무 중 일부는 계획된 연구가 현실적인지 아닌지를 결정하는 것이다. 예를 들어 코호트 연구에서 위험 집단을 구성하기에 충분한 수의 유효 대상자가 있는지 혹은 실험-대조군 연구(case-control study)에서 실험 대상자(case)의 집단을 구성하기에 충분한 대상자 수가 있는지 없는지를 확인하는 것이다. 이미 보고된 연구에서 부적절한 표본의 크기는 임상 결과에서는 명백히 유용한데 왜 통계적으로는 유의하지 않은지를 설명해 준다.

표본 크기의 계산은 일상적인 통계 분석을 별 어려움 없이 할 수 있는 많은 사람들에서조차도 혼동될 수 있다. 표본 크기에 관한 직관 테스트로써 다음의 세 가지 질문에 대답해보라.

① 분산(variance)이 매우 크다면 표본의 크기는 얼마나 필요하겠는가?
② 만약 연구자가 참값에 매우 가까운 답을 얻기 원한다면 표본의 크기는 얼마나 필요하겠는가?
③ 만약 연구자가 발견되기를 원하는 차이가 매우 작다면 표본 크기는 얼마나 필요하겠는가?

위의 사항 모두에서 표본 크기가 큰 것이 요구된다면, 그것은 옳다. 만일 직관이 옳은 대답을 제시하지 않았다면 표본 크기를 구하는 기본 공식이 어떻게 도출되는지에 대한 다음의 정보를 읽은 후에 위의 질문들을 다시 검토해야 한다.

연구 대상자의 수에 영향을 미치는 또 다른 요인

- 연구설계가 쌍으로 된 자료(예: 같은 집단의 대상자에서 처치 전과 후를 관찰하는 것)
- 쌍으로 되지 않은 자료(예: 실험군과 대조군에서의 관찰)인지,
- 연구자가 α오류 뿐만 아니라 β오류도 고려하기를 원하는지 아닌지,
- 연구자가 자료 군에서 큰 분산을 기대하는지 혹은 작은 분산을 기대하는지,
- 연구자가 일반적인 α값(양측 검정에서의 p값 0.05, 신뢰구간 95%)을 선택할 것인지 작은 값을 선택할 것인지,
- 연구자가 결과변수의 평균 또는 비율 간에 작은 차이를 발견하기를 원하는지 혹은 매우 작은 차이를 원하는지 등이 포함된다.

대부분의 조사는 연구자가 원하는 크기보다 적게 조사되어 세부적으로 분류하는 소집단의 분석에 필요한 최소한의 대상자 수를 확보하지 못하는 경우가 많으며 이는 사전에 피할 수 없다. 즉, 연구의 기본 목적조차 달성할 수 없을 정도로 조사된 대상자 수가 적다는 사실을 최종 분석 단계에서 알게 된다. 만일 연구의 목적이 유병률을 조사하는 것이라면 표본의 크기는 추정치가 요구하는 정확도에 달려 있다. 표본추출에서 발생하는 오차는 희귀한 상황에 비례하여 증가한다. 즉, 유병률의 수준이 낮을 때 동일한 수준의 신뢰도를 얻기 위해서는 표본의 크기가 커야 한다.

표 7-3은 유병률에 따른 신뢰구간을 보여주고 있다. 유병률 2%의 질환은 표본 수가 500일 때 1.0~3.7이지만, 표본 수가 1,000일 경우에는 95% 신뢰구간이 1.2~3.1로 표본 수 500일 경우와 비교하여 좁은 것을 알 수 있다(표 7-3).

표 7-3 **표본 수와 신뢰구간**

유병률(%) 추정치	95% 신뢰한계	
	N=500	N=1000
2	1.0~3.7	1.2~3.1
10	7.5~13.0	8.2~12.0
20	16.6~23.8	17.6~22.6

추정에 필요한 표본의 크기를 계산하기 위해서는 규정된 정확도, 변수의 평균 또는 파악하고자 하는 두 인구집단 간의 유병률 혹은 평균치 간의 차이에 대한 정보가 필요하다. 조사연구를 실시하는 목적은 각각의 목적에 따라 필요로 하는 표본의 크기가 달라진다.

표본 크기 결정 시 고려해야 되는 조사 목적
① 유병률, 교차비 및 상대 위험도 등과 같은 모수의 추정
② 둘 이상의 집단 간의 비교를 통해 연구 가설을 검정
③ 추정된 유병률, 교차비 및 상대 위험도의 유의성을 검정

(1) 표본 크기의 결정

표본의 크기는 우리가 비교하기를 원하는 상황에 맞게 결정되어야 한다. 만일 연구 모형이 연령이나 성에 따라 층화되었다면 검정이나 추정도 각 구분된 특성에 따라 실시되어야 한다. 따라서 연구 대상자들을 연령이나 성에 따라 분류하고자 한다면 각 계층에 대한 유병률을 추정하는 것이 중요하고 그런 다음 각 추정치에 계산된 표본의 크기를 적용하여야 한다. 그렇지 않다면 전반적인 추정치는 계획했던 수준에서 얻을 수 있으나 특성 간 비교나 추정은 정확도와 검정력을 상실하게 되어 큰 오차나 신뢰구간을 갖게 되어 실제적으로 비교나 추정을 쓸모없게 만들 수 있다.

사용될 α와 β의 수준, 기대되는 결과 변수에서 임상적으로 중요한 차이, 그리고 기대되는 분산, 이 값들이 알려진다면 필요한 표본 크기를 결정하는 것은 대개 간단하다.

(2) 표본 수 산정

① 표본 수를 산정을 위한 프로그램

표본 수 산정을 위해서 연구자가 직접 엑셀을 이용하여 계산하는 방법도 있지만 간편하게 프로그램을 이용하여 계산되는 수를 이용할 수 있으며, 대부분 무료 프로그램을 이용하여 계산할 수 있다(표 7-4).

표 7-4 **표본 수 산정에 이용 가능한 무료 프로그램**

No.	표본 수 산정에 이용 가능한 무료 프로그램
1	https://www.sealedenvelope.com/power/
2	http://powerandsamplesize.com/Calculators/
3	Piface(free)
4	G*power(http://www.gpower.hhu.de/)

② 표본 수 계산 시 필요한 사항

연구자는 연구에 필요한 대상자 수를 결정하기 전에 다음의 사항을 확인해야 된다. 통계적 유의성을 확인하기 위해 사용하게 될 통계분석방법을 결정해야 한다. 예를 들어 모수분석 중에서 두 집단의 평균을 비교하는 경우에는 t-test 분석을 시행하게 될 것이다. 유의수준은 일반적으로 1종 오류를 기각하는 유의수준으로 0.05의 값을 일반적으로 적용할 수 있으나, 연구자의 연구상황에 따라 변동될 수도 있다. 검정력과 효과크기(effect size)는 연구자가 시행하고자 하는 연구나 실험에 유사한 선행연구에서 제시된 효과크기의 값이나 검정력을 동일하게 적용할 수 있다. 일반적으로 검정력은 80%로 적용할 수 있고, 효과크기는 두 집단을 비교하는 경우라면 두 집단 간의 차이가 효과의 크기가 될 수 있기 때문에 두 집단의 평균의 차이 값이 효과크기로 적용될 수 있다(표 7-5).

표 7-5 **표본 수 계산 시 필요한 값**

No.	표본 수 계산 시 필요한 값
1	통계분석방법(Statistics analysis method)
2	유의수준(Significance level)
3	검정력(Power)
4	효과크기(Effect size)

③ 표본 수 계산 프로그램의 예시

다음은 G*power를 이용하여 표본 수를 계산하는 방법이다. 연구자가 실제 연구에서 관찰된 결과를 검정하기 위해 사용하는 통계방법, 유의수준, 검정력, 효과크기를 입력하여 연구에 표본 수를 산정할 수 있다.

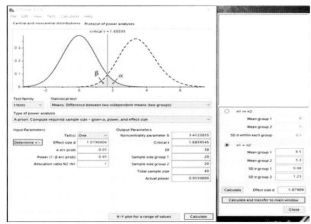

그림 7-2 **G*power를 이용한 표본 수 계산**

예시는 *t*-test를 이용한 검정을 이용하여 집단 간 우식경험영구치아수의 유의성을 확인하는 연구라고 가정해 보자. 실제 연구와 유사한 선행연구에서 두 집단의 우식경험영구치아수를 집단 1에서 6.5개, 집단 2에서 5.3개이며 표준편차가 각 0.98과 1.23임을 확인하였고, 두 집단의 평균차이를 주요한 결과값으로 계산할 것이다. 〈그림 7-2〉와 같이 각집단의 평균과 표준편차를 입력한다. 효과크기(effect size)는 집단 간 차이로 계산이 되고, 유의수준과 검정력은 보통 0.05와 0.95로 설정이 되어 있다. 연구자의 연구설계에따라 유의수준을 조정할 수 있으나, 이는 연구의 목적에 맞게 조정해야 된다. 두 집단에배정은 1로 동일하게 배정하였다. 계산된 표본 수는 각 집단 별로 20명으로 총 40명을제시하고 있다.

(2) 표본 크기의 계산 시 고려하여야 할 사항

① 오류에 대한 고려

표본 크기의 결정 공식들은 이론적으로 만들어진 것으로 다음의 두 가지 사실에 근거하고 있다. 첫째, 앞서의 공식들은 인구집단 내에 해당 변수가 분포하는 고유 양상에 근거하고 있다. 그러나 모든 변수들은 실제 정규 분포가 아니다. 둘째, 사용된 변수들이 인구집단 내에서 보이는 변이(variability)에 근거하고 있다. 그러나 변이의 추정치도 자체의 변이를 가지고 있기 때문에 이 두 가지 가정은 결코 진실이 될 수 없다. 따라서 결과적으로 산출된 표본의 크기를 해석할 때 이 오류를 고려하여야 한다.

② 변이에 대한 고려

위험도를 추정할 때 과다 추정을 하는 것이 과소 추정을 하는 것보다 좋다. 표본의 크기를 결정할 때 변이의 추정치는 다른 연구 결과를 참고하게 된다. 만일 연구를 통해 얻게 되는 추정치는 변이가 크다면 정확도는 떨어지게 된다. 따라서 표본의 크기를 계산할 때 항상 모집단 변이의 추정치는 가장 큰 값을 취하고 계산되는 표본의 크기를 증가시키기 위하여 실제 필요로 하는 베타 오류보다 작은 값을 사용하는 것이 바람직하다. 즉, 오류의 발생 가능성이 적을수록 추정치의 정확도는 필요로 하는 수준보다 향상될 것이다. 이 과정에서 비용이 늘어날 수 있다. 그러나 표본의 크기를 증가시켜 더 많은 연구 대상자의 관찰에 비용이 추가되는 것은 어쨌든 얻게 될 추정치가 넓은 신뢰구간을 가짐으로써 가치 없게 되는 결과보다는 바람직한 일이다.

③ 연구 대상자의 불참에 대한 고려

A. 연구 대상자의 불참 또는 무응답

표본의 크기는 최종적으로 연구에 참여한 연구 대상자의 크기와 설문 조사 시 완전한 응답을 한 사람들의 수를 말한다. 따라서 연구 대상자들이 연구에 불참하거나 응답하지 않는 것은 결측치(missing value)를 발생시키고, 결과적으로 표본의 크기를 줄이기 때문에 바람직한 일이 아니다. 예를 들어 「특정 설문에 대해 500명을 조사한 결과 400명이 응답하였으며, 그 중에서 220명은 '예', 180명은 '아니오'라고 응답하였다」 라고 보고하는 것은 100명의 무응답이 있었기 때문에 옳지 않다. 왜냐하면 만일 응답하지 않은 100명이 모두 '아니오'라고 대답할 사람이었다면 '예'와 '아니오'의 응답 결과는 220명 대 280명이 되기 때문이다. 또한 %에 대한 표본 오차를 계산할 때도 표본의 크기가 500이 아니라 400이 되기 때문에 100명의 무응답 때문에 표본 오차가 12%나 늘어나게 된다. 즉, 표본의 크기를 사전에 계산할 때 무응답의 수준을 추정하여 최종 필요로 하는 표본의 크기에 고려하여야 한다.

B. 결측치(missing value)의 가공(imputation)

무응답의 비율이 작은 경우 가끔 무응답으로 발생한 자료의 결측치를 집단의 평균치 등과 같은 다른 값으로 치환하는 것이 연구결과의 분석에 편리할 수 있다. 단, 이러한 자료의 가공은 결측치가 없는 완벽한 표본 자료를 필요로 하는 일부 다변량 통계분석을 하는 경우에 사용하는 것이 바람직하며 절대 추정치의 오차를 줄이기 위한 목적으로 사용되어서는 안 된다.

오차는 항상 보수적 관점에서 고려하여야 한다. 즉, 표본의 크기는 실제 필요로 하는 수준보다 큰 것이 좋다. 정확도가 넘치는 것은 바람직하지만 비용이 조금 더 추가될 뿐이다. 그러나 정확도가 떨어지는 것은 좋지 못할 뿐만 아니라 그동안의 노력과 시간 등과 같은 자원의 낭비를 초래하게 된다.

4) 표본추출과정에서 고려할 사항

(1) 정확도의 결정

대상 모집단을 정의한 다음에는 적절한 표본추출 전략이 수립되어야 한다. 이때 가장 먼저 표본추출단위(sampling unit)를 개인, 가족 또는 행정구역단위 중 어느 것으로 할 것인지를 결정하는 일이다. 표본추출 전략은 이미 확보하고 있는 모집단의 목록에 따라 결정되며 이때 가지고 있는 목록의 형태, 즉 전산화된 자료, 한 학교의 학생명단 또는 각 가구의 주소 등과 같은 것을 표본 틀(sampling frame)이라고 한다.

다음으로는 조사의 형태를 단면조사연구 또는 추적조사연구 등과 같은 연구형태 중 어느 것으로 실시할지 결정하는 일이다.

또 다른 중요한 사항은 추정하고자 하는 모수(parameter)의 정확도를 결정하는 일이다. 정확도는 기본적으로 조사하고자 하는 표본의 크기에 영향을 받는다. 정확도 결정 시 고려하여야 하는 것 중의 하나는 관찰된 수치에 영향을 줄 수 있는 몇 가지 방해 요인(nuisance factors)이다. 만일 이런 방해 요인들이 존재한다면 표본추출 시 그 요인들을 고려한 층화표본추출(stratified sampling)을 할 것인지, 아니면 그 요인들을 무시하고 그냥 단순무작위표본추출(simple random sampling)을 선택해도 무방한지 결정하여야 한다.

많은 임상 연구에서 필수적인 또 다른 과정은 무작위 할당이다. 이것은 만약 어떤 단계가 조심스럽게 이루어진다면 효과적으로 수행하기에 어렵지 않다. 선택 과정이 알려질 때까지 비밀로 유지해야 하는 것은 특히 중요하며, 밀봉된 봉투는 종종 이것을 시행하는데 좋은 방법이다. 무작위 할당의 기본 방법은 단순 무작위 할당, 두 집단으로의 무작위화, 계통적 할당, 층화 할당을 포함한다.

(2) 방해 요인

방해 요인(nuisance factor)이란 현재의 연구에서 관심의 대상은 아니지만 연구에서 측정하고자 하는 결과와 연관되어 있는 요인을 말한다. 예를 들면 식이 습관이 특정 질환에 미치는 영향을 조사하는 연구에서 식이습관 자체는 사회·경제적 수준(socioeconomic status)에 영향을 받고 있기 때문에 이 연구에서 사회·경제적 수준이 바로 방해 요인에 해당 된다. 동시에 사회·경제적 수준 역시 질병 자체에 영향을 줄 수 있는 주거형태, 교육수준 및 예방서비스에 대한 접근도 등과 같은 요인들과 연관되어 있기 때문에 이러한 요인들도 검토의 대상이 되어야 한다. 이러한 방해 요인들은 특정 질병과 관심을 갖고 있는 요인 간의 연관성을 실제보다 낮거나 높게 평가하게 만들 수 있다.

 ## 3. 측정

측정이란 연구 목적에 따라 필요한 자료를 수집할 때 변인(변수)과 변인 간의 관계에 관한 가설을 경험적으로 검증하기 위해 연구자는 각 변인을 측정할 수 있는 적합한 측정도구를 사용해야 한다(표 7-6).

표 7-6 측정도구 적용 전 고려사항

측정도구를 적용하기 전 고려해야 될 사항
① 기존 측정도구 중에서 본인의 연구목적에 맞는 도구를 사용해야 한다.
② 기존의 측정도구를 사용할 때는 자신의 연구목적에 맞도록 수정 및 보완하여 사용한다.
③ 새로운 도구를 개발할 수도 있다.

연구 목적에 맞는 측정도구를 사용하여 연구자는 오류 없이 자료를 수집하고자 노력하지만 참 값에서 벗어난 오차(error)가 발생할 수 있다. 모든 연구들은 연구 수행 방법과 환경에 따라 오차를 가지고 있고, 연구를 수행할 때 오차는 여러 가지 형태로 나타난다. 그 중에서 측정이 생길 수 있는 오차들은 다음과 같다(그림 7-3).

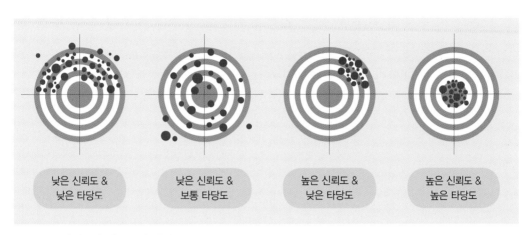

| 낮은 신뢰도 &
낮은 타당도 | 낮은 신뢰도 &
보통 타당도 | 높은 신뢰도 &
낮은 타당도 | 높은 신뢰도 &
높은 타당도 |

그림 7-3 **신뢰도와 타당도의 차이**

1) 측정오차(measurement error)

연구를 통해 얻고자 하는 값은 모수(모집단)의 질병률이나 유병률 또는 노출과 질병 발생 사이의 연관성일 수 있다. 또는 모수 집단의 삶의 질 점수나 만족도 점수와 같은 값일 수도 있다. 연구에서 노출 또는 질병을 측정할 때 발생하는 오차는 편견 발생의 중요한 원인이 된다. 그러므로 연구를 수행할 때 측정의 질을 평가하는 것이 매우 중요하다. 측정의 질을 평가하는 지표로는 타당도와 신뢰도가 있다.

가장 이상적인 조사방법은 '측정하고자 하는 것을 정확히 측정'하는 타당성(validity)이 높고 누가 측정하거나 언제 측정하더라도 동일한 값이 나오는 신뢰도(reliability)가 높은 측정이 이상적인 결과이다(그림 7-3).

(1) 신뢰도

측정방법의 타당도를 평가할 수 있는 만족할 만한 기준이 없을 때 대신 신뢰도를 평가하는 것이 흔히 도움이 된다. 지속적으로 동일한 결과를 나타내는 것은 측정방법이 타당하다는 것을 보증하지는 않는다. 예를 들어 실험실 검사가 지속적으로 가짜 양성 결과를 보이거나 반복적으로 측정하는 설문지가 스트레스 정도를 정확히 확인할 수 없어 정답을 찾을 수 없는 부적절한 척도일 수 있다. 신뢰도가 낮다는 것은 곧 타당도가 낮거나 대상 특성이 시간에 따라 변한다는 것을 의미한다. 이 두 가지 경우에는 각각 결과를 해석할 때 주의를 기울여야 한다. 신뢰도는 조사자 내(within observer)와 조사자 간(between observer)으로 분류된다.

- 조사자 내(within observer): 한 명의 조사자가 동일한 검사를 시간의 차를 두고 2번 이상 시행했을 때 생기는 차이
- 조사자 간(between observer): 조사자 간은 동일한 대상이나 시료에 대해 서로 다른 조사자가 측정하게 되는 것으로 측정하는 사람에 따라 생기는 차이

신뢰도의 평가는 연구 수행 중에 평가되거나 예비연구 수행 시 시행될 수 있다. 예를 들어 동일한 연구 표본에 대해 두 번 조사하거나 방사선 사진이나 혈액 시료의 표본에 대해 두 번 검사할 수 있다. 또한 만일 예비조사의 일환으로 일부 검사가 먼저 실시된다면 연구 대상자, 조사자 및 조사 상황이 본 연구를 적절히 대표할 수 있도록 신경을 써야 한다. 그래서 본 연구에서 일어날 문제를 예측하고 사전에 대응할 수 있다.

(2) 반복 측정 시 발생하는 변이의 원인들
동일한 연구 개체를 대상으로 실시하는 독립적인 반복 측정은 보통은 기대했던 수준 이상으로 변화한다. 따라서 결과를 해석하고 그 해결책을 찾기 위해서는 전체 변이를 다음의 네 가지 요소를 살펴보는 것이 도움이 된다.

① 조사자 내 변이(within observer variation)
동일 조사자 내의 불일치는 연구결과에서 치명적일 수 있다. 이는 측정 및 해석 기준이 모호하거나 특히 정상과 비정상의 경계가 명확하지 못할 때 발생한다. 그리고 대부분 조사자 내 불일치는 어느 방향으로 나타나는지 예측하기 힘들다. 사전에 조사자 훈련을 통해서 진단과 측정의 훈련이 필요하고 이해하기 쉬운 매뉴얼이 필요하다.

② 조사자 간 변이(between observer variation)
조사자 간 변이는 개인 조사자의 불안정성 요인 외에 기술과 기준에 대한 개인 간의 차이로서 부수적이고 체계적인(systematic) 요인에 의해 발생한다. 불행하게도 이 변이는 실제 조사집단 간의 차이를 발생하는 데 크게 영향을 미칠 수 있다. 그러나 조사자를 한 사람이 수행하거나 시료를 모두 중앙분석실로 운반하여 측정함으로써 이 문제를 피할 수 있다. 또한 연구 대상자에게 조사자들을 임의로 할당함으로써 조사 중에 발생할 수 있는 편견을 중화시킬 수 있다. 이 경우 각 조사자들을 모든 조사 자료에 기록된 코드에 의해 식별할 수 있어야 한다. 즉, 조사자별로 결과를 분석함으로써 중대한 결함을 찾아내서 일부 통계적방법을 적용하여 교정할 수도 있다.

③ 연구 대상자의 임의 변이(random subject variation)

동일한 연구 대상에서 반복적으로 측정하였다고 해도 혈압과 같은 일부 생리학적인 변수들의 측정치는 그 대상자의 평균을 중심으로 정규분포를 하게 된다. 그럼에도 불구하고 대부분의 연구에서는 한 번만 측정한다. 만일 연구 대상자 개체 내 변이가 조사되지 않는다면 이러한 부정확성은 찾아내기 어렵다.

연구 대상자의 임의 변이는 선별검사(screening test)나 임상에서 중요한 의미가 있다. 통계적인 교정을 통해 이러한 사람들의 수치가 교정될 수 있다. 즉, 정상이지만 처음 검사 시 극단치가 나타난 사람의 경우 반복 측정하게 되며 평균으로 회귀하기 때문에 값이 떨어진다. 물론 이 효과는 연구 대상자의 임의 변이의 크기에 달려 있다. 따라서 적절한 기준치를 설정하기 위한 반복측정이나 개입 연구에서 대조군을 포함시킴으로써 연구 대상자의 임의 변이에 의해 잘못된 결론을 내리는 것을 피할 수 있다.

④ 체계적 변이에 의한 연구 대상자의 변이(biased or systematic subject variation)

혈압은 잘 조정되지 않는 감정적인 요인뿐만 아니라 측정실의 온도에 많은 영향을 받는다. 당뇨병 검사는 아침보다는 오후에 조사하는 경우 당뇨병의 유병률이 높게 나타난다. 그리고 표준화된 설문지를 가지고 기관지염을 진단하는 경우 여름보다는 겨울에 발견율이 높다. 즉, 조사의 조건과 시기는 개인의 진짜 상태 및 반응에 커다란 영향을 미칠 수 있다. 가능하면 연구는 이러한 문제점을 통제할 수 있도록 고안되어야 한다. 예를 들면 하루 중 일정한 시간대를 정하여 당뇨병을 검사하거나 실내 기온 등을 함께 측정하여 분석 시 하나의 변수로 적용하면 이러한 문제들을 어느 정도 해결할 수 있다.

(3) 타당도

어떤 진단적 검사방법의 타당도(validity)를 평가하기 위해서는 진정한 질병 상태를 알아야 한다. 이것은 질병의 유무에 대한 가장 정확한 정보를 제공하는 것으로 인식되는 다소 침습적(invasive)이거나 확진적(definitive) 검사방법에 의해 얻어질 수 있다. 이 검사방법이 진단을 위한 황금 기준(golden standard)이 된다.

예방학적 관점에서 진단적 검사방법의 유용성은 질병의 진행으로 초래되는 심각한 영향을 사전에 예방할 수 있는 질병의 조기단계에 해당질병을 찾아내는 능력이다. 이러한 접근에 효과적인 치료방법이 마련되어 있다면 예후를 크게 향상시킬 수 있게 된다. 이러한 경우 진단적 검사방법은 임상증상을 가진 개인에서 질병을 확진하는 것이 아니라 선별검사의 도구로서 사용되는 것이다.

선별검사 또는 진단적 검사방법의 정확성은 개인의 질병 유무를 파악하는 능력과 관계된다. 일부 개인은 진단기준에 근거하여 분류가 잘못될 수 있으므로 이를 줄이는 것이 중요하며, 이러한 오차로는 가짜 양성과 가짜 음성이 있다. 진단적 검사방법은 민감도와 특이도 두 가지 방향에서 올바른 결정을 하여야 한다.

연구대상자를 환자와 정상 또는 노출과 비노출 등과 같이 이분법적으로 분류하는 조사방법이나 기술의 타당성은 처음에는 연구에 사용된 조사방법에 의해 조사 대상자를 양성과 음성으로 분류하고 그 다음으로 표준비교기준에 의해 다시 양성과 음성으로 분류함으로써 평가할 수 있다. 즉, 그 결과를 〈표 7-7〉에 보이는 것과 같이 분할표에 표현할 수 있다. 이 표로부터 4개의 중요한 통계치가 산출될 수 있다.

> **〈사례〉**
> 가끔 조사방법의 타당성을 평가할 수 있는 신뢰성 있는 기준이 이용 가능할 때가 있다. 예를 들어 구강암의 진단은 pop smear를 표준 진단 기준이 되는 punch biopsy를 비교하여 평가할 수 있다.

표 7–7 **비교기준 검사와 조사방법의 비교**

구분	비교기준 검사의 결과		합계
	양성	음성	
양성	올바르게 인식된 진 양성(A)	가 양성(B)	검사 양성의 합(A+B)
음성	가 음성(C)	올바르게 인식된 진 음성(D)	검사 음성의 합(C+D)
합계	진 양성의 합(A+C)	진 음성의 합(B+D)	전체 합계(A+B+C+D)

표 7–8 **타당도 분석의 예제**

구분 Pop smear	비교기준 검사의 결과		합계
	양성	음성	
양성	30 (A)	60 (B)	90 (A+B)
음성	10 (C)	40 (D)	50 (C+D)
합계	40 (A+C)	100 (B+D)	140 (A+B+C+D)

① 민감도(sensitivity)

민감도가 높은 검사란 진짜 양성자를 찾아내는 비율이 높은 검사로 그 수치는 (A)/ (A+C)로 계산된다.

– pop smear의 민감도 = (30÷(30+10))×100 = 75.0%

② 특이도(specificity)

특이도가 높은 검사란 검사 결과 양성자 중에 가짜 양성자가 포함될 가능성이 높은 검사로 그 수치는 (D)/(B+D)로 계산된다.

– pop smear의 특이도 = (40÷(60+40))×100 = 40.0%

③ 체계적 오차(systematic error)

연구에서 산출되는 비율에서는 사용된 검사를 통해 전체의 진짜 환자 수를 찾아내는 것이 중요하다. 체계적인 오차는 비교검사를 통해 확인된 양성자에 대한 조사에서 사용된 검사에서 찾아진 전체 양성자의 수치인 (A+B)/(A+C)로 측정할 수 있다.

– pop smear의 가짜 음성률 = (10÷(30+10))×100 = 25.0%
– pop smear의 가짜 양성률 = (60÷(60+40))×100 = 60.0%

④ 예측치(predictive value)

예측치는 검사 결과 얻어진 양성자 중 진짜 양성자가 차지하는 분율로 선별검사 (screening)에서 매우 중요하다.

민감도와 특이도가 검사의 정확성을 결정하는데 중요하지만 가장 중요한 것은 진짜 질병의 유무를 모르는 상태에서 검사가 얼마나 제 기능을 발휘하느냐 하는 것이다. 즉, 검사가 양성일 때 진짜 질병이 있을 확률과 검사가 음성일 때 진짜 질병이 없을 확률인 양성 예측도와 음성 예측도가 얼마나 하는 것이다.

검사방법의 예측력은 검사방법의 민감도와 특이도에 영향을 받지만 동시에 해당 질병의 유병률에 의해서는 큰 영향을 받는다. 진단적 검사방법의 평가는 앞에서 이야기한 민감도, 특이도, 양성 및 음성예측도 외에도 측정 및 수행에 대한 가능한 편이의 영향을 평가하여야 한다. 또한 이 검사를 도입한 후 실제 해당 질병으로 인한 영향이 얼마나 줄었는가에 대한 평가도 수반되어야 한다(표 7-8).

– pop smear의 양성 예측도 = (30÷(30+60))×100 = 33.3%

2) 편견

편견이란 관심을 가지고 있는 연관성의 측정에서 에러가 발생한 것으로 자료수집, 분석, 판단, 추론 및 발표과정에서 사실과 체계적으로 다른 결론을 유도하게 하는 요인에 의해 발생한다.

(1) 선택 편견(selection bias)

선택 편견은 연구 대상자가 연구의 결론으로 도출된 인구집단을 대표하지 못할 때 발생한다. 만일 조사자가 한 도시에 거주하는 성인의 치주질환과 흡연율의 연관성을 파악하는 연구를 하기 위해 치과병원에 등록되어 있는 성인들을 대상으로 임의로 표본을 추출하여 그들에게 흡연 행태에 대한 우편설문조사와 구강검사를 실시하였다고 가정하자.

이 연구모형에서 발생할 수 있는 오차의 하나는 도시 거주 성인이면서 그 치과병원에 등록되어 있지 않아 연구표본에서 배제되었을 때 발생할 수 있다. 즉, 배제된 성인들이 연구표본으로 뽑힌 사람들과는 다른 흡연 행태를 가질 수 있다. 또한 표본으로 선택되었다 하더라도 우편설문지를 완벽하게 작성하지 않았거나 아예 회신하기 어려운 상황이거나 의도적으로 회신하지 않을 수도 있으며 이들도 역시 다른 흡연행태를 가질 수 있다. 이러한 문제들이 선택 편견 발생의 잠재적 원인으로 작용한다. 따라서 연구 표본을 정의할 때 항상 선택 편견의 가능성을 고려하여야 한다. 게다가 응답률이 저조할 때 발생할 수 있는 편견의 범위를 평가해야 한다.

연구에서 발생할 수 있는 편견들은 다음과 같다(표 7-9).

표 7-9 **연구에서 발생할 수 있는 편견**

선택 편견의 종류	
벅슨 편견 (Berkson's bias)	입원환자를 대상으로 한 환자-대조군 연구에서 생기는 편견이다. 예) 심혈관질환과 치주질환과의 인과 관계에 대한 환자 대조군 연구에서 대조군을 골절로 병원에 입원한 사람들로 결정하였을 때 만일 양자 간에 입원 확률(hospitalization probability)이 다르다면 병원 환자집단의 구성이 달라지며, 그 결과 편견이 발생하게 된다. 즉, 대조군의 입원율이 더 높다면 교차비는 과다 추정되게 된다.

선택적 생존 편견 (selective survival bias 또는 Neyman bias)	연구 대상 질병의 발생률과 유병률의 차이에 의해 발생하는 편견으로 특히 발생과 동시에 바로 사망하는 치명률이 높은 질병이나 발생하더라도 증상이 발현되지 않는 질병이 문제 가 된다. 예) 심근경색에 대한 연구에서는 살아 남은 환자만을 대상으로 연구가 진행되고 유방암에 대 한 연구의 경우에는 질병자 중 일부의 환자만을 대상으로 연구하게 되어 편견이 발생한다.
추적조사에 따른 손실 (follow-up loss)	환자군과 대조군으로 일단 선정된 후, 연구과정에 탈락되는 사람이 많은 경우 발생되는 편 견으로 만일 탈락하는 사람들의 특성을 예측 불가능할 때 그 결과는 신뢰할 수 없게 된다.
무응답 편견 (non-response)	조사에 포함되었지만 비협조적인 사람들의 특성들이 제 각각이라면 마찬가지로 그 결과를 신뢰할 수 없게 된다.
지원자 편견 (self-selection bias)	지원자에 의해 연구를 진행하는 경우 질병이 심각한 환자들이 주로 새로운 약이나 시술에 대한 연구에 자발적으로 지원하기 때문에 발생한다.
건강 근로자 효과 (healthy worker effect)	근로자들의 건강상태는 일반 인구집단과 다를 수 있으며, 특히 실업자와는 큰 차이를 보일 수 있다. 이러한 차이로 인해 발생하는 편견을 말한다.

(2) 정보 편견(information bias)

편견 발생의 또 다른 중요한 원인은 노출과 질병을 측정할 때 발생하는 오차이다. 즉, 측정 자체가 부정확하거나 연구대상자로부터 얻은 정보가 부정확하거나 분류 시 오류 (misclassification)를 범했을 때 발생하는 편견이다.

> 〈사례〉
> 항생제를 복용한 어머니에게서 출생하는 아이들의 법랑질형성부전증의 상대 위험도를 조사하기 위하여 법랑질형
> 성부전증을 가진 아이를 출산한 어머니들과 정상아를 출산한 어머니들에게 '임신 중에 항생제를 복용한 적이 있
> 습니까?'라는 설문을 실시한 후 그 대답을 상호 비교하는 연구를 설계하였다면, 이 연구모형에서는 법랑질형성부
> 전증을 가진 아이를 출산한 어머니들이 그들의 자녀가 법랑질형성부전증을 나타내는 원인을 적극적으로 찾으려
> 하기 때문에 정상아를 출산한 어머니들보다 과거를 더 완전하게 기억할 수 있다. 그리고 이러한 편견은 위험도의
> 과다 추정으로 연결될 수 있다.

연구에서 발생할 수 있는 정보 편견에는 회상편견, 기억착오, 면접자의 편견, 의도적인 대답, 역편견 등이 있다. 일반적으로 연구에서 편견을 완전히 제거하기는 힘들다. 따라서 편견에 대한 조치는 편견의 발생을 최소화하고 피할 수 없는 편견을 파악하고 연구결과를 해설할 때 편견을 고려할 수 있도록 하는 것이 최선의 방침이다.

4. 자료수집 방법

연구에 필요한 표본이 구성되고 나면 표본으로부터 연구자료를 수집해야 한다. 치위생학 연구에서 연구자료를 수집하는 방법으로 흔히 사용되는 것은 생리적 측정법과 자가보고법, 관찰법 등이 있다.

어떤 자료수집 방법이 채택되었던 간에 본 조사를 실시하기에 앞서 예비조사를 실시하는 것이 도움이 된다. 예비조사 과정에서 장애요인을 파악하는 것이 본 조사에서 겪게 될 어려움을 덜어 주게 된다. 비교적 스케일이 큰 연구에서 설문지나 자료기록의 양식은 자료 수집 후 이루어질 분석과정에 참여하게 될 통계전문가와 사전에 논의하여야 한다.

1) 생리적 측정

생리적 측정법이란 관심 있는 생리적 변수를 직접적으로 측정하는 방법이다. 예를 들어 환자의 치아우식경험률을 조사하기 위해서는 구강검사를 통해 우식치아 수, 상실치아 수, 처치치아 수 등을 검사한다. 생리적 측정을 위해서는 mouth mirror, 치수진단기, 혈압계, 체온계 등 생리적 측정을 위해 개발된 생리적 기구들을 사용하는 것이 기본적인 방법이나 때로 자가보고를 통해서도 자료수집이 가능한 생리적 변수들이 있다. 예를 들어 오심이나 동통, 현기증 등은 자가보고를 통해서도 자료수집이 가능하다. 또 사회·심리적 변수를 간접적으로 측정하는데 생리적 측정법을 이용하기도 한다. 환자의 불안 정도를 측정하기 위해 환자의 혈압이나 맥박 등 활력증후를 측정하는 경우가 그 예이다.

생리적 측정법은 자료수집에 객관적이고 과학적인 도구를 사용하는 경우가 많아 수집된 자료의 객관성과 신뢰성이 비교적 높고, 사회·심리적 도구를 이용한 경우와 비교해 볼 때 상대적으로 정확하고 민감하다. 또 측정하고자 하는 변수를 직접적으로 측정하게 되는 경우가 대부분이어서 수집된 자료의 타당도가 보장된다는 것이 장점이다.

반면, 생리적 측정을 위해서는 생리적 측정을 위해 개발된 도구를 소지하여야 하는데 도구 대부분이 고가의 장비라는 것과 측정도구를 조작하는 방법을 연구자가 알고 있어야만 한다는 것, 또 측정도구가 노후되었거나 불량일 경우 측정된 자료의 신뢰도에 영향을 미칠 수 있다는 것, 그리고 생리적 측정을 위한 방법 중 인체에 자극이나 손상, 고통을 초래할 수 있는 경우가 있다는 것 등이 단점이다.

생리적 측정은 조사자 내 및 조사자 간 변이를 최소화할 수 있도록 고안되어야 한다. 흔히 호흡수와 같은 양적인 측정은 어떤 사람이 빠르게 숨을 쉬는가와 같은 질적인 측정보다 표준화하기가 더 쉽다. 임상검사의 표준화는 시료를 수집하고 저장하는 방법을 자세히 규정하고 분석에 대한 질 관리를 엄격히 함으로써 개선할 수 있다.

2) 기존 자료 조사법

가끔 적절하게 표준화된 정보를 기존에 존재하는 기록 등으로부터 확보할 수 있다. 예를 들어 장기간 수돗물불소농도조정사업이 실시되고 있는 지역에 살고 있는 인구집단에서 불소를 과량 섭취하게 됨으로써 발생되는 반점치(mottled teeth) 발생률을 조사하는 연구에서는 환자들의 이름, 출생일, 성, 주소, 출생 후 거주지역과 거주기간 등 환자들을 추적 조사할 수 있는 정보를 얻을 수 있다. 기존의 자료를 조사할 때는 필요한 정보를 찾아내어 특별히 고안된 기록 양식으로 요약하거나 직접 개인용 컴퓨터에 기록하는 것이 바람직하다.

기록 양식이나 자료를 직접 입력하게 될 컴퓨터 프로그램에는 기록되는 자료의 출처를 알 수 있게 하여야 한다. 기록된 정보를 확인하기 위하여 자료의 원본을 체계 없이 앞뒤로 뒤적거리는 것은 시간이 많이 가는 지루한 일이며, 그러한 과정에서 또한 오차가 발생할 가능성도 커진다. 정보가 요약된 각 기록에는 반드시 일련번호가 주어져야 하며, 정보를 확인하거나 추가적인 정보가 필요해질 때 이를 통해 쉽게 원본을 찾을 수 있어야 한다.

3) 자가보고법

연구자는 연구대상자의 자가보고를 통해 많은 정보를 얻을 수 있다. 연구대상자가 알고 있고 의사소통할 수 있는 모든 정보는 자가보고법을 통해 수집될 수 있다. 자가보고를 통해 연구대상자는 자기 자신의 인구통계학적 특성이나 현재의 심리, 감정, 의견 등을 연구자에게 제공할 수 있을 뿐만 아니라, 과거의 정보 및 미래에 대한 예견, 그리고 자기 자신 이외의 사람들이나 특정 현상이나 사건에 대한 정보도 제공이 가능하다. 자가보고법에 의해 자료수집을 하는 방법으로는 면담을 통한 방법과 설문지를 이용한 방법이 있다.

(1) 설문지법(questionnaire)

많은 경우 설문지를 이용한 자료수집이 가능하다. 설문지는 조사대상자가 직접 작성하는 형태일 수 있고, 면접을 통해 면접자(interviewer)에 의해 기록될 수 있으며, 주로 연구대상자가 직접 자신의 정보를 설문지에 대한 답변이 형식으로 기록하는 것이다. 조사대상자가 직접 기록하는 자기 기입식 설문지(self administrative questionnaire)는 면접기술의 차이에서 발생하는 체계적인 오차를 피할 수 있기 때문에 표준화하기가 더 용이하다. 그러나 자기 기입식 설문지는 모든 조사 대상자가 설문 내용을 완벽하게 이해해야 한다는 제한점을 가지고 있기 때문에 복잡한 주제에 대한 정보를 수집할 때는 면접자가 필요하다.

① 설문지의 유형

설문에는 설문지에 제공되는 질문의 유형에 따라 개방형 설문지와 폐쇄형 설문지로 구분된다. 설문의 형태는 개방형 또는 주관식과 폐쇄형 또는 객관식 모두 사용될 수 있으나 어느 것을 사용할 것인가를 결정하는 것은 매우 중요하다.

A. 폐쇄형 설문지

폐쇄형 설문지는 응답자에게 제한된 선택범주를 제공하고 그 범주 내에서 자신의 답변을 고르도록 하는 것이다. 예를 들어 성별을 묻는 질문을 하고 '남자', '여자'와 같은 선택범주를 제시하는 경우를 들 수 있다. 폐쇄형 질문지는 응답자들이 보다 짧은 시간에 많은 질문에 쉽게 답할 수 있는 반면, 질문지에 응답자들의 경우에 해당되는 답이 존재하지 않을 경우에 문제가 될 수 있다. 미리 제시된 범주 내에서 응답하게 되므로 새로운 사실을 발견할 가능성은 거의 없다. 즉, 폐쇄형 설문은 질문을 하고 대답 가능한 응답들을 나열하여 하나를 선택하게 함으로써 응답과 분류를 쉽게 할 수 있는 장점이 있는 반면, 자세한 정보가 필요할 때 이를 얻지 못한다. 또한 응답자들로 하여금 편견이 내포된 응답을 하게 만들 수 있다. 특히 '예'나 '아니오' 중 하나를 고르는 설문은 묻는 내용에 대한 응답자의 대답 범위를 제한하는 단점을 가지고 있다.

B. 개방형 설문지

개방형 설문지는 연구대상자들이 자신의 말로 질문에 답하도록 하는 개방형 설문으로 구성되어 있다. 예를 들어 '치아미백에 대해 어떻게 생각하십니까?' 등의 질문을 하고 연구대상자들이 자신의 의견을 기록하도록 하는 것이다. 개방형 설문지는 다양하고 보다 정확한 정보를 얻을 수 있고, 또 연구자가 예상하지 못했던 새로운 사실에 대한 정보를 얻을 수 있다는 장점이 있는 반면, 응답자가 질문에 대해 생각하고 답변하는 데 상대적으로 많은 시간과 노력이 요구되기 때문에 응답자가 어려움을 느끼거나 흥미가 감소할 수 있고, 응답된 답변을 연구자가 분석할 때의 과정이 복잡하고 어렵다는 것이 단점이다. 또한 개방형 설문은 조사 후에 응답 내용을 분석을 위해 부호화하기 힘들다.

표 7-10 설문지 작성 시 고려사항

항목	설문지 작성 시 고려사항
명확성	조사에 사용되는 설문의 언어는 명확하고 간결하게 기술되어야 한다. 지나치게 많은 설문을 담고 있는 설문지는 응답자들을 지루하게 하거나 종종 잘못된 응답을 하게 만들어 면접자(interviewer)를 피곤하게 만들 수 있다. 만일 특정 설문을 통해 얻은 자료를 분석에 사용할 수 없다면 차라리 묻지 않는 것만 못하다. • 설문에 사용되는 언어는 명쾌하고 단순하여야 한다. 두 개의 짧은 설문이 한꺼번에 두 가지 상황을 묻는 하나의 긴 설문보다 좋다. • 전문적인 용어는 피한다. 전문용어가 사용이 불가피할 경우에는 용어 설명을 제공하여 응답자가 이해할 수 있도록 한다. • 질문은 가능한 긍정문으로 진술한다.
응답자 수준	설문지는 응답자들이 쉽게 기억할 수 있도록 고안되어야 한다. 예를 들면 특정인의 일생 중 동일한 시기와 관련되는 설문들을 함께 구성하는 것이 효과적이다. 특히 설문지를 통해 얻은 정보의 신뢰성을 평가하기 위하여 가끔 동일한 내용을 묻는 설문을 중복시키는 것도 도움을 줄 수 있다. 요통의 위험요인을 조사한 한 연구에서 보면 일부 사람들은 자신들 직업의 특성상 4시간 이상 운전한다고 응답해 놓고 '하루에 2시간 이상 앉아 있습니까?'라는 설문에는 그렇지 않다고 대답하고 있다. 이것은 응답자들이 설문을 완전히 이해하지 못했다는 것을 보여주는 사례이다.
편견	편견은 자가보고 도구의 가장 심각한 문제이다.
민감하거나 개인적인 정보	• 응답자에게 거부감을 주지 않는 어휘를 사용하여 질문한다. • 지나친 음주나 흡연, 혼전 성행위 등과 같은 사회적으로 용납되지 않는 행동이나 태도에 대한 질문 시 비판단적인 분위기를 조성해 주면 응답자가 보다 솔직하게 응답할 수 있다. 주의해야 할 점은 응답자가 잘못됐다고 느끼지 않도록 하고, 방어적인 자세가 되지 않도록 해야 한다. • 질문을 비개인적으로 하면 응답자는 편안하고 솔직한 응답을 하게 된다. • 질문이 공손하면 응답자의 협조를 구하는 데 도움이 된다. 예를 들면 "근무경력은?"보다는 "귀하는 치과위생사로써 몇 년 동안 근무하셨습니까?"와 같은 진술이 바람직하다.
타당도와 신뢰도	설문조사의 타당도는 내용 타당도, 기준 타당도 및 구성 타당도 등 세 가지로 평가될 수 있다. 그러나 측정하고자 하는 변수의 구성 개념이 제대로 정의되어 있는가를 나타내는 구성 타당도에는 사실 내용 타당도 및 기준 타당도가 내포되어 있으며, 통계적으로 요인분석은 구성 타당도를 평가해줄 수 있다.

　　훌륭하게 구성된 설문지를 만들기 위해서는 기술이 필요하며, 다음과 같은 주의사항이 요구된다. 선행연구에서 성공적으로 사용되었던 설문은 연구목적에 부합한다면 적용하여 사용할 수 있다.

② 설문지의 타당도

구성된 설문지의 타당도와 신뢰도를 검증하여 연구 도구의 오류를 줄이고 정확한 연구 결과를 얻을 수 있을 것이다.

A. 내적 타당도(internal validity)

우리는 설문지 구성 시 이미 적용된 설문과 동일한 내용을 물으면서 표현이나 문장을 달리한 추가적 설문을 사용하는 경우 종종 있다. 이를 '잠재 설문(sleepers)' 또는 '거짓말 탐지 설문(lier catcher)'이라고 한다. 우리는 이러한 설문을 통하여 일부 중요한 설문의 내적 타당도를 검토할 수 있다. 그러나 이러한 설문의 지나친 사용은 설문지 자체를 길게 만들 뿐만 아니라, 만일 조사 대상자가 자신이 이미 응답한 내용과 똑같은 설문을 다시 응답해야 한다는 사실을 알아차리게 된다면 응답 자체를 거부할 수도 있다.

B. 외적 타당도(external validity)

간혹 비교 연구를 하기 위하여 이미 다른 연구에서 사용된 설문지를 이번 연구에 그대로 사용하는 경우가 있다. 또한 두 번의 동일한 설문조사가 동일한 모집단 또는 한 모집단에서 추출된 서로 다른 표본에 대해 실시될 수 있다. 그러나 만일 이때 모집단이 서로 다르다면 얻어진 결과를 서로 비교할 수 없다. 예를 들어 문화적 차이에 대한 비교 연구를 실시한다고 가정하였을 때, 문화적 차이는 서로 다른 문화 간에 그리고 한 국가라 하더라도 서로 다른 지역 간에 존재할 수 있다. 따라서 비교 연구를 하기 위해서 설문지는 항상 대상 모집단에 대해 타당성을 먼저 검증받아야 한다.

C. 신뢰도(reliability)

설문조사의 신뢰도를 평가하는 방법에는 크게 안정성 평가(measurement of stability)와 동등성 평가(measurement of equivalence)가 있다. 신뢰도 측정 지표 중의 하나인 알파 계수는 하나의 개념에 대해 여러 개의 설문항목으로 구성된 척도를 이용하는 경우 해당 설문을 가지고 할 수 있는 모든 가능한 반분 신뢰도를 구하고, 이의 평균치를 산출한 것이다. 따라서 알파 계수는 해당 척도를 구성하고 있는 개별 항목들의 신뢰도 평가도 할 수 있고, 문항 분석도 가능하게 해주는 등 내적 일관성을 잘 나타내 주는 대표적인 방법이다.

③ 설문의 순서

설문 문항의 순서는 예를 들어 '귀하는 스케일링을 시술받으신 적이 있습니까?'라는 질문을 바로 하기 보다는 '귀하는 스케일링에 대해 알고 계십니까?'라는 설문으로 시작하

는 것이 바람직하다. 대상자로 선정된 사람들의 민감한 사항을 고려하여 결정하고 개인
정보와 관련된 사항은 되도록 설문의 후반부에 배치한다.

④ 설문지에 의한 자료수집 방법

설문지를 배포하고 수집하는 방법에 따라 자료수집 방법을 아래와 같이 구분할 수 있다
(표 7-11).

표 7-11 **설문지를 이용한 자료수집 방법**

항목	설문지를 이용한 자료수집 방법
직접 집단 조사	집단으로 모여 있는 연구 대상자들에게 설문지를 배부하여 설문에 응답하게 한 후에 회수하는 방식으로 회수율이 높고 응답자가 설문에 대한 의문이 있을 때 직접 설명해 줄 수 있다.
직접 개별 조사	연구대상자 개개인에게 설문지를 배부하는 것으로 비교적 시간과 비용이 많이 들지만 응답자와 개별접촉이 이루어지기 때문에 설문 회수율이 높고 응답자에게 연구목적이나 특정 질문에 대해 자세하게 설명해 줄 수 있다.
인터넷 조사	인터넷 조사는 급증하는 인터넷 인구를 대상으로 인터넷망을 이용하여 자료를 수집하는 조사 방법을 말한다. 최근에 정보통신의 발달로 인해 인터넷 사용이 저렴해지고 익숙해지면서 폭넓은 대상으로 확대되고 있다. 인터넷 포털사이트인 구글이나 네이버를 활용하면 설문지 응답이 가능한 링크를 연구대상자에게 발송하여 응답하게 할 수 있다.
우편 조사	우편을 통해 응답자에게 설문지를 전하고 회신하는 방법으로 설문지를 발송하면서 응답한 설문지를 연구자에게 회수될 수 있도록 연구자의 주소가 기입된 회신용 봉투와 우표를 동봉하는 것이 기본 절차이다.
전화 조사	전화조사는 훈련된 조사원과 선정된 응답자가 전화를 이용하여 면접하고 자료를 수집하는 방법으로 시사적 쟁점들에 대한 여론조사에 널리 사용되고 있으며 마케팅 조사에도 자주 활용되고 있다.

(2) 면접조사(interview)

면접조사는 연구자가 연구대상자와 대면해서 연구대상자의 정보를 얻는 방법으로 질적
연구나 서술 연구에서 흔히 이용된다.

면접조사의 경우 면접자가 질문에 사용하는 언어는 가능한 표준화되어야 하며 또한 이를
통해 얻고자 하는 정보를 얻을 수 있어야 한다. 기존의 자료를 요약하는 것과 마찬가지로
설문지에 기록된 대답을 기록할 때 사용하는 양식은 쉽게 입력할 수 있어야 하고, 입력의
정확성이 높아야 하고, 간단하게 코딩하여 쉽게 분석할 수 있게 하여야 한다.

면접을 시작하기에 전에 면접자는 응답자가 자신의 정보를 정직하게 표현해낼 수 있도록

허용적이고 편안한 분위기를 조성해야 하며, 가능한 면접자의 의견을 나타내거나 연구 대상자에게 강요하는 일이 없도록 주의하여야 한다. 또한 면접에서 얻은 자료는 면접 중이나 면접 직후 연구대상자의 표현을 그대로 정확히 기록하는 것이 중요하다. 자료는 노트나 면담기록부 등에 적기도 하고 연구대상자의 동의를 얻어 테이프에 녹취하기도 한다.

면접조사는 형식에 따라 두 가지로 분류할 수 있다.

① 구조적 면접조사

구조적 면접은 면접을 시작하기 전에 면밀하게 연구대상자에게 질문할 내용 및 순서를 미리 정해두고 모든 대상자에게 같은 내용과 순서로 한다. 면접이나 연구경험이 많지 않은 연구자도 비교적 쉽게 이용할 수 있고 면접결과의 비교가 용이하다는 장점이 있으나, 미리 계획되지 않은 면접은 사용할 수 없어 상황에 대한 융통성이 적고 중요한 사실을 놓칠 수 있고 새로운 사실에 대한 정보를 얻을 가능성이 낮다.

② 비구조적 면접조사

비구조적 면접은 질문의 내용이나 순서를 미리 완벽하게 설정하지 않고 면접의 상황에 따라 융통성이 크고 새로운 사실을 발견할 가능성이 큰 방법이다. 반면에 응답 범위가 넓어서 면접 결과의 비교나 통계분석이 어렵고, 면접자 또는 연구자가 면접에 보다 능숙하고 경험이 많을 것이 요구되는 단점이 있다.

(3) 자가보고법의 장단점

① 장점

면담법이나 설문지법과 같은 자가보고법의 최대 장점은 직접적으로 측정이 불가능한 정보나 변수, 예를 들면 과거의 경험이나 미래에 대한 예측, 또 연구대상자의 감정이나 심리, 사고, 의견 등을 측정하는데 가장 적합하다는 것이다.

② 단점

자가보고법의 최대 단점은 연구대상자가 응답한 답변만으로 자료가 구성되므로 신뢰도와 타당도가 생리적 측정법이나 관찰법에 비해 낮다는 것이다. 따라서 자가보고법을 이용해 자료수집을 하고자 하는 연구자는 이 방법의 제한점을 인식하고 대상자가 보다 솔

식하게 자신의 정보를 내어놓을 수 있도록 하는 전략을 마련할 필요가 있다.

(4) 관찰법

관찰법은 연구자가 연구대상자들을 직접 관찰하여 자신이 얻고자 하는 자료를 수집하는 방법이다.

관찰법은 연구자가 연구대상자들이 집단의 구성원이 되어 함께 생활하면서 관찰을 시행하는 참여 관찰과 연구대상자들에게 관찰 사실을 알리고 제3자의 입장에서 관찰을 시행하는 비참여 관찰로 구분할 수도 있고, 관찰할 내용과 대상, 시간, 장소 등을 미리 계획하고 그에 따라 관찰하는 구조적 관찰과 이들을 분명히 규명하지 않은 상태에서 관찰이 이루어지는 비구조적 관찰로 구분할 수도 있다. 관찰도구로는 체크리스트나 평정척도가 많이 사용된다.

관찰법은 연구대상자들이 자가보고법으로 자신의 정보를 제공해주기를 기대할 수 없는 경우, 예를 들면 신생아나 혼수상태에 있는 환자 등도 관찰을 통해 정보를 수집할 수 있다는 것이다. 또 어떤 현상을 현장에서 직접 관찰함으로써 다양하고 정성적인 정보를 수집할 수 있다는 것이다. 반면 가장 심각한 단점은 정보가 연구자의 주관과 상황에 따라 편견이나 오류가 개입될 소지가 있어 신뢰도와 타당도에 문제가 된다는 점이다.

참고자료

제14차 2018년 청소년건강행태조사 설문 중에서 치아파절 위험 요인 분석에 사용한 영역별 설문문항

1. 구강건강 영역

1.1. 치아파절
최근 12개월 동안, 다음과 같은 증상을 경험한 적이 있습니까?

1) 치아가 깨지거나 부러짐
① 없다　　　② 있다

1-1) 운동이나 사고로 인해 치아가 깨지거나 부러짐
① 없다　　　② 있다

2. 음주 영역

2.1. 평생음주 경험
지금까지 1잔 이상 술을 마셔본 적이 있습니까?
※제사, 차례 또는 성찬식(종교의식) 때 몇 모금 마셔본 것은 제외합니다.

① 없다　　　② 있다

2.2. 음주량
최근 30일 동안, 술을 마실 때 평균량은 얼마입니까?
① 소주 1-2잔(맥주 1병 이하)
② 소주 3-4잔(맥주 2병, 양주 3잔)
③ 소주 5-6잔(맥주 3병, 양주 5잔)
④ 소주 1병-2병 미만(맥주 4병, 양주 6잔)
⑤ 소주 2병 이상(맥주 8병, 양주 12잔)

2.3. 만취 경험

최근 30일 동안, 정신을 잃거나 기억을 못 할 정도로 술을 마신 날은 며칠입니까?

① 최근 30일 동안 없다.　　② 월 1-2일　　③ 월 3-4일　　④ 월 5일 이상

3. 흡연 영역

3.1. 평생흡연 경험

지금까지 담배를 한 두 모금이라도 피워본 적이 있습니까?

① 없다　　② 있다

3.2. 흡연량

최근 30일 동안, 담배를 하루에 평균 몇 개비 피웠습니까?

① 1개비 미만/1일　　② 1개비/1일　　③ 2-5개비/1일　④ 6-9개비/1일

⑤ 1-19개비/1일　　⑥ 20개비 이상/1일

4. 정신건강영역

4.1. 평상시 스트레스 인지

평상시 스트레스를 얼마나 느끼고 있습니까?

① 대단히 많이 느낀다.　　　　② 많이 느낀다.　　　　③ 조금 느낀다.

④ 별로 느끼지 않는다.　　　　⑤ 전혀 느끼지 않는다.

4.2. 잠으로 피로회복 정도

최근 7일 동안, 잠을 잔 시간이 피로회복에 충분하다고 생각합니까?

① 매우 충분하다.　　② 충분하다.　　　　③ 그저 그렇다.

④ 충분하지 않다.　　⑤ 전혀 충분하지 않다.

4.3. 우울감(슬픔 · 절망감) 경험

최근 12개월 동안, 2주 내내 일상생활을 중단할 정도로 슬프거나 절망감을 느낀 적이 있었습니까?

① 최근 12개월 동안 없다.　② 최근 12개월 동안 있다.

4.4. 자살생각

최근 12개월 동안, 심각하게 자살을 생각한 적이 있었습니까?

① 최근 12개월 동안 없다.　② 최근 12개월 동안 있다.

5. 신체활동 영역

5.1. 하루 60분 이상 신체활동일 수

최근 7일 동안, 심장박동이 평상시보다 증가하거나, 숨이 찬 정도의 신체활동을(종류에 상관없이) 하루에 총합이 60분 이상 한 날은 며칠입니까?

① 최근 7일 동안 없다.　　② 주 1일　　③ 주 2일　　④ 주 3일
⑤ 주 4일　　　　　　　⑥ 주 5일　　⑦ 주 6일　　⑧ 주 7일

5.2. 격렬한 신체활동 일수

최근 7일 동안, 숨이 많이 차거나 몸에 땀이 날 정도의 격렬한 신체활동을 20분 이상 한 날은 며칠입니까?

※격렬한 신체활동: 조깅, 축구, 농구, 태권도, 등산, 빠른 속도의 자전거타기, 빠른 수영, 무거운 물건 나르기 등

① 최근 7일 동안 없다.　　② 주 1일　　③ 주 2일
④ 주 3일　　　　　　　⑤ 주 4일　　⑥ 주 5일 이상

5.3. 근력강화 운동 일수

최근 7일 동안, 팔굽혀펴기, 윗몸일으키기, 역기 들기, 아령, 철봉, 평행봉 같은 근육 힘을 키우는 운동(근력강화운동)을 한 날은 며칠입니까?

① 최근 7일 동안 없다.　　② 주 1일　　③ 주 2일
④ 주 3일　　　　　　　⑤ 주 4일　　⑥ 주 5일 이상

5.4. 체육시간 수

최근 7일 동안, 체육시간에 운동장이나 체육관에서 직접 운동을 한 적은 몇 번 있었습니까?

※교실에서 하는 자습이나 이론 수업은 제외합니다.

① 최근 7일 동안 없다.   ② 일주일에 1번

③ 일주일에 2번   ④ 일주일에 3번 이상

6. 손상예방 영역

6.1. 안전벨트 착용

승용차나 택시, 고속버스를 탈 때 안전벨트를 맵니까?

1) 승용차나 택시 앞좌석, 2) 승용차나 택시 뒷좌석, 3) 고속버스

① 탄 적이 없다.   ② 항상 맨다   ③ 대체로 매는 편이다.

④ 가끔 매는 편이다.   ⑤ 전혀 매지 않는다.

6.2. 오토바이 헬멧 착용

최근 12개월 동안, 오토바이를 탈 때(본인이 운전하거나 뒷자리에 동승할 때 모두 포함) 헬멧을 착용했습니까?

① 최근 12개월 동안 탄 적이 없었다.   ② 항상 착용했다.

③ 대체로 착용한 편이다.   ④ 가끔 착용했다.

⑤ 전혀 착용하지 않았다.

6.3. 자전거 헬멧 착용

최근 12개월 동안, 자전거를 탈 때 헬멧을 착용했습니까?

① 최근 12개월 동안 탄 적이 없었다.   ② 항상 착용했다.

③ 대체로 착용한 편이다.   ④ 가끔 착용했다.

⑤ 전혀 착용하지 않았다.

6.4. 학교에서 손상 경험

최근 12개월 동안, 학교(교실, 복도, 운동장 등 학교 울타리 안)에서 다친 적이 있습니까?

① 최근 12개월 동안 없다.   ② 최근 12개월 동안 있다.

6.5. 학교에서 손상으로 인한 병원치료 경험

최근 12개월 동안, 학교(교실, 복도, 운동장 등 학교 울타리 안)에서 다쳐서 병원에서 치료를 받은 적이 있습니까?

① 최근 12개월 동안 없다.   ② 최근 12개월 동안 있다.

6.6. 이어폰 또는 휴대폰 사용으로 인한 손상 병원치료 경험

최근 12개월 동안, 걸을 때 이어폰(또는 헤드셋)을 사용하거나 휴대폰을 보다가 다쳐서 병원에서 치료를 받은 적이 있습니까?

① 최근 12개월 동안 없다.   ② 최근 12개월 동안 있다.

6.7. 학교에서 다치는 상황에 대한 안전교육

최근 12개월 동안, 학교에서(수업시간, 방송교육, 강당교육, 현장체험교육 등 모두 포함) 받은 안전교육을 모두 표시해 주십시오.

① 없다.
② 예방교육(사고가 발생하지 않도록 예방하는 행동)
③ 대피교육(위험상황에서 벗어나는 행동요령)
④ 구조 및 구명 교육(위험에 처한 사람을 구하는 행동요령)
⑤ 본인이 직접 마네킹을 이용한 심폐소생술 교육

7. 폭력 영역

7.1. 폭력으로 인한 병원치료 경험

최근 12개월 동안, 친구, 선배, 성인에게 폭력(신체적 폭행, 협박, 따돌림 등)을 당해 병원에서 치료를 받은 적이 있습니까?

① 0번   ② 1번   ③ 2번   ④ 3번   ⑤ 4번   ⑥ 5번   ⑦ 6번 이상

CHAPTER 8

자료분석
및 해석

Reseach Methodology
for Dental Hygiene
치 위 생   연 구 방 법 론

자료분석 및 해석

 1. 자료수집 및 관리(data collection and management)

1) 코드북

자료를 입력하기 전, 수집된 정보를 효율적으로 입력하기 위한 작업이 필요하다. 양적연구 수행 시 숫자나 알파벳과 같은 코드를 자료에 부여하여 입력하는 과정을 데이터 코딩이라고 한다. 데이터를 코딩하기 위해서는 코드를 정의한 코드북(codebook)이 필요하다. 고드북 작성을 위해 아래의 내용을 점검해 보면 도움이 된다.

- 모든 표본의 자료가 완벽하게 수집되었는가?
- 자료가 통계분석에 사용될 수 있도록 수량화되었는가?
- 다중 응답 및 무응답의 경우, 자료를 어떻게 입력할 것인가?

2) 자료입력

원시자료(raw data)를 정확히 입력하기 위해 연구자는 다음의 데이터세트 작성 지침을 참고할 수 있다.

데이터세트 작성 체크리스트
- 하나의 관측치(observation)에 대한 모든 정보가 한 줄(row)에 입력되었는가?
- 변수(variable)가 한 열(column)에 입력되었는가?
- 관측치(observations)마다 최소 하나의 식별기호(identifier, ID)가 부여되었는가?
- 결측치(missing values)에 일관된 코드를 부여하였는가?
- 변수명(vaiable)과 자료값(data)에 적절한 설명(레이블)이 제시되었는가?
- 한 칸(cell)에 하나의 값(value)만 입력되었는가?
- 코드북이 마련되었는가?

모든 자료의 입력이 마무리되면, 자료가 정확히 입력되었는지 확인하기 위해 완성된 설문지의 일부(최소 전체 자료의 10%)를 이중-입력(double-entry)해 볼 것을 권한다. 이중-입력은 서로 다른 컴퓨터 파일에 두 사람이 동일한 자료를 입력하거나 한 사람이 동일한 자료를 두 번 입력한 후, 준비된 두 개 파일의 일치성을 확인하는 방법이다.

3) 자료정제(data cleaning)

자료의 정제는 자료를 입력하는 과정에서 발생가능한 오타를 포함한 여러 오류를 수정하는 과정이다. 특히 결측치(missing value)는 연구결과의 편의(bias)를 유발할 수 있기 때문에, 결측치의 유무를 정확히 파악해야 한다. 또한, 결측치가 발생했다면 이를 어떻게 처리할 것인지 결정해야 한다.

결측치를 처리하는 대표적 방법은 다음과 같다.

- 완전한 사례만 이용: 목록별 결측치 삭제
- 이용가능한 사례만 이용: 대응별 삭제
- 사례 또는 변수의 삭제
- 대체법(imputation)을 통한 결측치 추정

가장 흔히 사용하는 방법은 결측치를 가진 표본의 정보를 모두 삭제하고 완전한 사례만 자료분석에 사용하는 것이다. 반면, 변수 간 상관분석을 할 때에는 결측치가 있는 변수의 사례는 제외하고 유효한 사례들 간 관련성을 계산하기 때문에 이는 이용 가능한 사례만 이용한 경우이다. 사례 또는 변수의 삭제는 연구자가 결측치의 범위를 결정 후 이에 속하는 사례나 변수를 삭제하는 것이다; 예를 들어, 결측치가 전체 자료의 5~10%일 때 삭제한다는 기준을 세운 후, 이에 속할 경우 해당 변수를 삭제한다. 대체법은 표본의 다른 변수나 사례의 타당한 값에 근거하여 결측치를 추정하는 과정이다. 결측치 추정에 사용되는 방법은 사전 지식이나 경험에서 나온 추측에 근거한 값으로 결측치를 대체하는 사전 지식이용법, 결측치가 있는 변수의 평균 또는 중앙값을 구하여 결측치에 이 값을 대체하여 사용하는 평균 대체법이 있다. 연구자는 결측치 처리방법을 달리함에 따라 분석결과가 어떻게 달라지는가를 검토하여 가장 좋은 방법을 선택한다.

또한, 자료정제 과정에서 이상값(outlier)이 존재하는지를 확인해야 한다. 이상값은 측정값에서 기대하는 정상 범위를 넘어서는 극단값이다. 이상값은 측정값의 평균, 표준편차 및 정규성에 영향을 미칠 수 있다. 표본크기가 큰 경우에는 이상값의 존재를 무시할 수 있을 정도로 연구 결과에 큰 영향을 미치지 않지만, 표본크기가 충분히 크지 않은 경우에는 이상값의 존재에 따라 연구 결과가 달라질 수 있다. 따라서 이상값이 존재할 경우, 이를 유지할 것인지 또는 제거할 것인지를 결정해야만 한다. 이상값을 제거하는 가장 보편적인 방법은 측정값이 분포하는 전체 범위에서 양쪽 극단값의 5%씩을 제거하는 것이다.

 ## 2. 통계해석을 위한 기초 개념

1) 통계해석의 의의

통계는 오차를 포함한 불확실한 정보를 유효하게 이용하기 위해 자료를 수량화하는 도구이다. 통계분석을 통해 수량화된 자료의 진실과 발생한 오차를 객관적으로 평가하여 진실을 추정하고 일반화시킬 수 있다.

연구는 모수의 일부인 표본을 대상으로 진행되는 경우가 대부분이기 때문에, 연구결과를 모수에 적용시키는 과정에서 필연적으로 오차가 발생한다. 연구자는 연구결과에서 발생가능한 오차를 최소화시키기 위해 자료를 해석할 때는 자료의 타당성과 신뢰성을 확인해야 한다.

2) 통계적 추론

연구결과의 참값을 추정하고, 정확성을 검정하는 것을 통계적 추론이라고 한다. 추정은 표본의 대표값(평균, 표준편차와 같은 통계량)에서 모집단의 참값을 예측하는 것이다(그림 8-1).

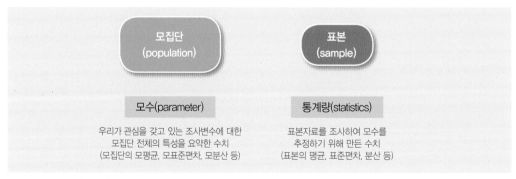

그림 8-1 **모수와 통계량**

표본은 모집단의 일부이기 때문에, 표본을 선택할 때 우연의 영향으로 데이터가 분산될 가능성이 있다. 따라서 추정값과 함께 오차폭을 자료의 신뢰구간으로 나타낸다. 95% 신뢰구간이란 연구를 100번 반복했을 경우에 95회의 연구 결과값이 분포하는 범위로 표기되며, 구간 폭이 좁을수록 신뢰성이 높아진다. 검정은 우연에 의한 오차를 고려하여 모집단 추정값의 확실성을 확률적으로 검증하는 것이다. 따라서 검정과정에서는 집단간 차이가 없다는 것에 대한 진실여부를 확률적으로 판단해야 한다. 그러나 차이의 정도에 대한 정량적 정의를 내리기 어렵기 때문에, 일반적으로 연구자는 차이가 없다는 것을 부정함으로서 차이가 있다는 것을 증명하게 된다(참고 1). 이 때, 검정과정에서 얻은 확률은 집단 간에 본래는 차이가 없는데 우연히 차이가 있다고 오류를 범할 확률로, 이를 p-값(probability value)으로 나타낸다(참고 2).

〈참고 1. 가설설정〉
집단 간에 [차이가 있다]는 가설을 세워서 검정하려 해도, 어느 정도까지의 차이를 진실의 차이라고 인정할 것인지 가정하는 것은 어렵다. 그러나 집단 간 [차이가 없다]라는 것은 누구나 인정할 수 있는 사실로 가정할 수 있기 때문에, [차이가 없다]는 것을 부정하는 것이 결과를 객관화시킬 수 있다.

〈참고 2. probability value (p-값)의 다양한 표현〉
1. 귀무가설이 맞는데 틀렸다고 결론내렸을 확률을 p-값이라고 할 수 있다.
2. 집단 간 차이가 우연의 결과일 확률
3. 추정결과가 거짓일 확률

(1) 귀무가설과 대립가설

귀무가설(null hypothesis, H0)은 연구자가 기각하고 싶은 가설(예: A와 B는 차이가 없다)이다. 대립가설(alternative hypothesis, H1)은 연구자가 주장하고 싶은 가설(예: A와 B는 차이가 있다)이다.

(2) 제1종 오류와 제2종 오류

제1종 오류(α)는 두 집단 간 차이가 없는 것이 진실이나 연구결과 두 집단 간 차이가 있나고 결론을 내릴 오류이다. 제1종 오류의 최대허용치를 유의수준이라고 한다. 따라서 $\beta < \alpha$이면, 두 집단 간에 확실한 차이가 있어서 통계적으로 유의한 차이가 있다고 해석할 수 있다. 제2종 오류는 두 집단 간 차이가 있는 것이 진실이지만, 연구 결과는 두 집단 간 차이가

없다고 결론을 내릴 오류이다. 통계검정력(1-β)은 실제 효과가 있는 것을 통계적으로 효과가 있다고 보여줄 수 있는 힘을 나타낸다. 따라서 대립가설이 맞을 경우, 이를 옳다고 결정할 확률이라고 할 수 있다(표 8-1). 일반적으로 임상에서는 β-값이 5% 미만이면 우연에 의해 발생한 영향이 문제가 되지 않을만큼 적어서 통계적으로 유의한 차이가 있다. 즉, 두 집단 간에 확실한 차이가 있다고 판단한다. 따라서 연구자는 제1종 오류를 5%로 유지하면서 통계검정력을 최대화하는 통계기법을 사용하는 것을 추천한다.

표 8-1 **제1종 오류와 제2종 오류**

			모집단에서의 진실	
			A와 B는 차이가 있다	A와 B는 차이가 없다
표본 결과	차이 있다	귀무가설 기각	옳은 결정	제1종 오류(α)
	차이 없다	귀무가설 채택	제2종 오류(β)	옳은 결정

(3) 가설검정(hypothesis testing)

통계적 가설을 검정하는 절차는 다음과 같다. 귀무가설과 함께 유의수준을 설정한 후, 연구설계에 적절한 통계방법을 적용하여 검정한다. p값과 유의수준 간 크기를 확인한 후, 통계적 의사결정을 한다(그림 8-2).

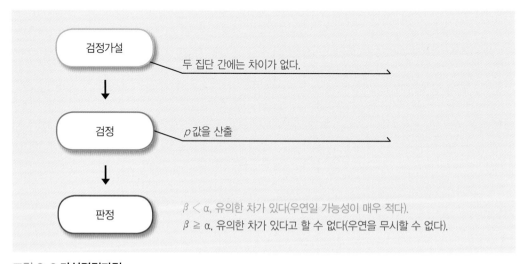

그림 8-2 **가설결정과정**

5) 자료탐색 및 정규성 검정

통계분석 방법은 자료의 형태와 분포양상에 따라 달라지게 된다. 자료탐색을 통하여 자료의 분포 형태를 알아야만 적절한 통계분석 방법을 선택할 수 있다. 자료분포의 특성을 확인하는 방법은 자료에 대한 빈도분석(비율)과 더불어 분포의 중심경향성과 산포도 및 대칭성을 파악하는 것이다.

(1) 중심경향성(대표값)

자료의 중심 위치를 나타내는 값으로, 이를 기술하는 값은 평균(mean), 중앙값(median), 최빈값(mode) 등이 있다(그림 8-3).

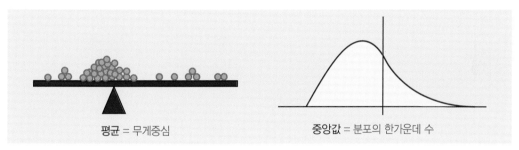

평균 = 무게중심   중앙값 = 분포의 한가운데 수

그림 8-3 **분포의 중심경향성**

(2) 산포도

자료가 중심으로부터 흩어진 정도를 나타내는 값으로, 이를 기술하는 값은 분산(variance), 표준편차(standard deviation, SD), 최대값, 최소값, 사분위수 등이 있다.

대표값과 산포도는 〈그림 8-4〉와 같다.

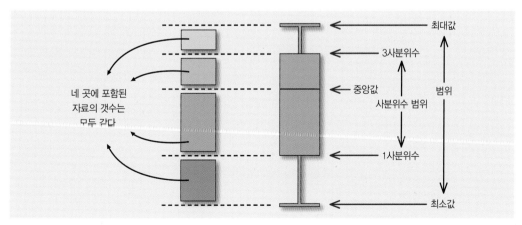

네 곳에 포함된 자료의 갯수는 모두 같다

최대값
3사분위수
중앙값
사분위수 범위
1사분위수
최소값
범위

그림 8-4 **대표값과 산포도**

(3) 대칭성

자료의 치우치거나 뾰족한 분포 정도를 나타내는 값으로, 이를 기술하는 값은 왜도(skewness), 첨도(kurtosis)가 있다(그림 8-5, 6).

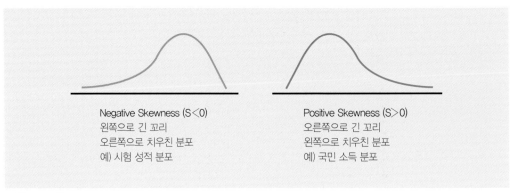

그림 8-5 **왜도**

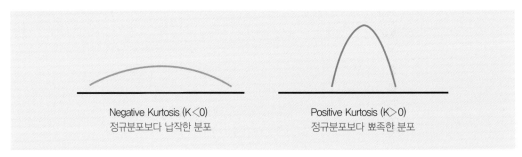

그림 8-6 **첨도**

(4) 정규성 검정(normality test)

자료탐색에서 대표값과 산포도는 자료의 분포에 따라서 달라진다. 정규분포인지 아닌지에 따라서 기술통계(descriptive statistics)에서부터 추측통계(inferential statistics)까지 모든 통계방법이 결정된다.

SPSS 프로그램을 이용하면 자료의 정규분포 여부를 통계적으로 검정가능하다. Kolmogorov-Smirnov test 또는 Shapiro-Wilk test를 이용하여 검정하게 되는데, 이 때 설정된 귀무가설은 「자료는 정규분포를 따른다」이다. 따라서 p-값이 0.05 이상일 때, 귀무가설이 채택되어 정규분포한다고 할 수 있다.

자료탐색에서 확인할 내용

- 변수의 빈도(비율), 평균, 표준편차를 통해 변수의 특성을 평가하였는가?
- 변수의 중심경향성, 산포도, 대칭성 및 정규분포를 평가하였는가?
- 이상값은 연구결과에 어떻게 영향을 미칠 수 있겠는가? 만일 이상값이 있었다면 이를 어떻게 처리하였는가?

6) 통계검정(statistical test)

통계분석법은 모수적 통계검정법(parametric statistical test)과 비모수적 통계검정법(nonparametric statistical test)로 나뉜다(그림 8-7). 모수적 통계 검정은 모집단에 대한 강한 가정을 전제로 하며, 비모수적 통계검정은 모집단에 대한 가정이 모수적 통계 검정에 비하여 약하다.

(1) 모수적 통계검정

모집단의 모수에 대한 추측을 하는 통계적 검정법이다. 모집단의 분포 및 모수에 대한 전제조건이 필요하다.

① 전제조건

A. 연속변수(continuous variable) - 계량자료이어야 한다.
B. 정규성(normality) - 모집단이 정규분포를 한다고 가정한다.
C. 등분산성(equal variance) - 집단 내의 분산은 동일해야 한다.
D. 선형성(linearity) - 선형회귀분석의 경우, 두 변수간 선형관계가 성립해야 한다.

모수적 통계검정은 모집단에 대한 가정이 충족되는 경우, 비모수적 통계분석에 비하여 검정력이 크다. 또한 통계 결과를 해석할 때, 평균과 신뢰구간을 활용하여 자세하게 설명할 수 있다. 그러나 계량자료만을 다룰 수 있다는 한계점이 있다.

② 모수적 통계검정법의 종류

Z 검정(z-test), t 검정(t-test), 분산분석(analysis of variance, ANOVA), 피어슨 상관분석(Pearson correlation), 선형회귀분석(linear regression) 등이 모수적 통계검정법으로 분류된다.

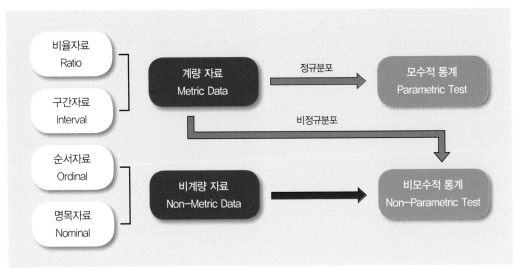

그림 8-7 통계검정법

(2) 비모수적 통계검정법

 범주형 자료를 분석하거나 모수적 통계에서 필요로 하는 전제조건을 충족시키지 못하는 경우에 비모수적 통계검정법을 활용할 수 있다(그림 8-7). 특히, 모집단의 분포를 정규분포로 가정할 수 없는 경우나 표본 크기가 10 이하로 작은 경우에 적용 가능하다. 다만, 측정 자료의 순위를 위주로 통계적 검정을 수행하기 때문에 통계 분석 시 측정값의 크기가 고려되지 않아 자료에 대한 유용한 정보를 충분히 활용하지 못할 수 있다.

비모수적 통계검정법의 종류

- 카이제곱 검정(Chi-square test)
- 피셔 정확 검정(Fisher's exact test)
- 맥니머 검정(McNemar's test)
- 만-위트니 검정(Mann-Whitney test)
- 윌콕슨 부호순위 검정(Wilcoxon signed-ranks test)
- 크루스칼-와리스 검정(Kruskal-Wallis test)
- 스피어맨 순위상관(Spearman rank correlation)
- 로지스틱 회귀분석(Logistic regression) 등

(3) 자료의 변환

모수적 통계의 전제 조건인 정규성, 등분산성, 선형성을 만족하지 않는 연속형 자료는 모수적 통계분석을 적용하기 위해서 자료를 변환할 수 있다. 자료를 변환할 때는 로그 변환, 제곱근 변환, 역수 변환, 제곱 변환의 4가지 방법이 주로 이용된다. 단, 자료를 변환할 때는 다음의 원칙을 고려해야 한다.

- 우측이나 좌측으로 기운 분포를 보이는 자료에서 사용할 수 있다.
- 원시 자료가 의미를 가지는 경우, 특히 임상적 의미를 가지는 경우에는 연구자 임의로 자료를 변환해서는 안 된다.
- 변환된 자료로 통계 분석한 후에 평균과 신뢰구간은 역변환해서 해석해야 한다. 단, 분산 또는 표준편차는 역변환해서 해석할 수 없다.

(4) 통계분석법 선정

통계분석법은 분석의 목적, 변수(variable)의 수, 집단(group)의 수 및 자료의 형태(data type), 정규성(normality)에 따라 결정된다. 특히, 분석의 목적에 따라 비교분석, 관계분석, 상호관세분석으로 구분 가능하다. 비교 분석은 변수의 측정값을 표본 집단으로 나누어 비교하거나 모집단 또는 표본 집단과의 차이를 비교하려는 통계검정법을 말한다. 관계 분석은 독립변수와 종속변수 간의 관계를 분석하는 통계검정법이다. 관련성은 분석하고자 하는 목적과 자료형태에 따라서 연관성(assaciation), 상관성(correlation), 예측성(prediction)으로 나눌 수 있다.

- 연관성 - 범주형(명목, 순서) 변수들 간의 관계
- 상관성 - 연속형(등간, 비율) 변수들 간의 관계
- 예측성 - 독립변수로써 종속변수의 결과 예측

상호관계분석은 독립변수와 종속변수를 구분하지 않고 변수들 간의 상호 관계를 분석하여 수로 변수와 대상의 집단을 분류한다. 군집분석, 주성분분석, 요인분석 등이 이에 속한다.

3. 자료분석 방법

1) 비교분석

(1) 독립표본 t 검정(independent t-test, student's t-test)

종속변수가 연속형 자료인 독립적인 두 집단 간 평균을 비교하기 위한 모수적 통계검정법이다. 두 표본 집단은 독립적이며(독립성), 정규분포하고(정규성 만족), 분산이 동일한 (등분산성 만족) 모집단으로부터 왔다는 가정을 따라야 한다. 두 집단의 분포가 정규분포를 따르지 않을 경우에는 비모수적 검정 방법인 Mann-Whitney U test를 수행해야 한다. Leven's test에 의해 두 집단 간 분산이 유의하게 다르지 않다면 공통분산(pooled variance)을 사용할 수 있다. 그러나 두 집단 간 분산이 서로 다른 경우에는 자유도를 수정하여 근사적인 방법으로 t 검정을 수행해야 한다.

- **독립표본 t 검정을 선택하기 위한 가정 조건**
  - 독립변수: 범주형 자료
  - 종속변수: 연속형 자료
  - 독립적인 두 집단의 평균의 차이 비교
  - 두 집단의 자료는 정규성 만족
  - 귀무가설(H_0): 두 집단의 평균은 같다

(2) 맨-위트니 U 검정 (Mann-Whitney U test)

종속변수가 서열변수이거나 정규분포하지 않는 연속변수일 경우, 두 집단의 자료를 혼합하여 크기 순으로 정렬하고 순위를 부여한 뒤, 그 순위의 합을 집단별로 구하여 두 집단의 순위합의 크기가 통계적으로 차이가 있는지 비교하는 비모수적 통계검정법이다(그림 8-8).

- **맨-위트니 U 검정을 선택하기 위한 가정 조건**
  - 독립변수: 범주형 자료, 특히 서열형 변수
  - 종속변수: 연속형 자료
  - 독립적인 두 집단의 평균 차이 비교
  - 두 집단의 자료는 비정규 분포

- 귀무가설(H₀): 두 집단의 크기가 같다.

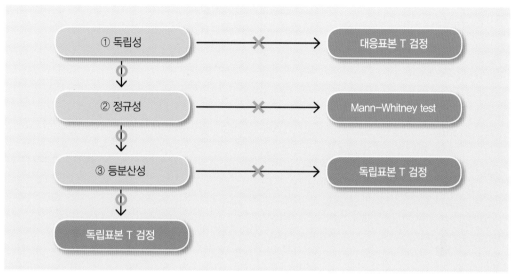

그림 8-8 두 집단 간 평균의 비교

(3) 대응표본 *t* 검정(paired *t*-test)

한 집단에서 어떤 변수를 시점을 달리하여 2회 반복측정함으로써 전과 후의 차이를 비교하는 모수적 통계검정법이다(그림 8-8). 중재 전과 후의 종속변수의 차이값을 새로운 한 개의 자료로 만들어서 이 자료가 정규분포할 때 적용할 수 있다.

- **● 대응표본 *t* 검정을 선택하기 위한 가정 조건**
  - 독립변수: 범주형 자료
  - 종속변수: 연속형 자료
  - 짝을 이룬 자료, 즉 동일 집단의 서로 다른 두 시점에서의 평균 차이 비교
  - 두 시점 간 차이값에 대한 자료는 정규성 만족
  - 귀무가설(H₀): 중재 전과 후의 차이의 평균은 0이다

(4) 윌콕슨 부호순위 검정(Wilcoxon signed-rank test)

대응표본 *t* 검정에 상응하는 비모수적 통계검정법으로, 중재 전과 후의 종속변수의 차이값을 새로운 한 개의 자료로 만들어서 이 자료가 정규분포하지 않을 때 적용한다. 이 새로운 한 개의 자료를 절대값 순으로 나열하여 순위합 검정을 시행할 수 있다.

- **윌콕슨 부호순위 검정을 선택하기 위한 가정 조건**
  - 독립변수: 범주형 자료
  - 종속변수: 연속형 자료
  - 짝을 이룬 자료, 즉 동일 집단의 서로 다른 두 시점에서의 평균 차이 비교
  - 두 시점 간 차이값에 대한 자료는 비정규 분포
  - 귀무가설(H_0): 중재 전과 후의 크기가 같다

(5) 카이제곱 검정(Chi-square test)

두 변수가 범주형 자료일 때, 두 변수의 측정값의 비율의 차이를 비교하기 위한 비모수적 통계검정법이다. 귀무가설의 검정은 관측빈도와 기대빈도의 차이에 기초하여 수행된다. 카이제곱 검정은 교차표에서 기대빈도가 5 이하인 셀의 수가 20% 이하이고, 1 이하의 기대 빈도를 가진 셀이 없어야 결과의 타당성이 인정된다. 만약, 이 가정조건이 만족되지 못하면 Fisher's exact test(피셔의 정확 검정)을 사용하여야 한다.

- **카이제곱 검정을 선택하기 위한 가정 조건**
  - 독립변수: 범주형 자료
  - 종속변수: 범주형 자료
  - 독립된 두 집단의 비율 차이 비교
  - 귀무가설(H_0): 두 변수 간 비율의 차이가 없다

(6) 맥니머 검정(McNemar test)

두 변수가 모두 범주형 자료이면서 반복측정된 대응표본일 경우, 대응 표본의 측정값의 비율의 차이를 비교하기 위한 비모수적 통계검정법이다.

- **맥니머 검정을 선택하기 위한 가정조건**
  - 독립변수: 범주형 자료
  - 종속변수: 범주형 자료
  - 짝을 이룬 두 집단의 비율 차이 비교
  - 귀무가설(H_0): 두 변수 간 비율의 차이가 없다

(7) 분산분석(analysis of variance, ANOVA)

세 집단 이상의 평균에 차이가 있는지를 비교하는 모수적 통계검정법이다. 이 때, 독립변수는 3개 이상의 범주로 나누어지는 범주형 자료이어야 하고, 종속변수는 연속형 자료이어야 한다. 분산분석은 집단을 나누는 기준의 개수에 따라 1요인, 2요인, K요인 등으로 세분화할 수 있다. 수행 빈도가 가장 높은 일원배치분산분석을 수행하기 위해서 표본은 정규분포하는 독립집단으로부터 수집되어야 하고, 모집단의 분산은 동일해야 한다. 셋 이상의 모집단에서 분산이 동일하지 않다면 Welch t-test를 수행할 수 있다. 같은 개체를 대상으로 여러 회 반복 측정을 수행했다면 모집단의 독립성이 확보되지 못해 반복측정 분산분석(repeated measure ANOVA)을 수행해야 한다. 또한 모집단이 정규분포하지 않는다면, 비모수적 통계검정법인 크루스칼-왈리스 검정(Kruskal-Wallis test)을 적용해야 한다(그림 8-9).

- **분산분석을 선택하기 위한 기본가정**
  - 독립변수: 연속형 자료
  - 종속변수: 연속형 자료
  - 독립성, 정규성, 등분산성 확인
  - 독립적인 셋 이상 집단의 평균의 차이 비교
  - 귀무가설(H_0): 셋 이상 집단의 평균은 같다

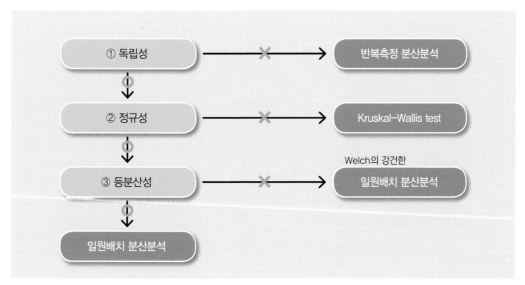

그림 8-9 세 집단 이상의 평균 비교

분산분석은 셋 이상의 집단을 동시에 비교하는 것이기 때문에, 가설 검정을 수행할 때 전체 유의수준이 연구자가 지정한 유의수준(5%)을 넘지 않도록 주의해야 한다(그림 8-10).

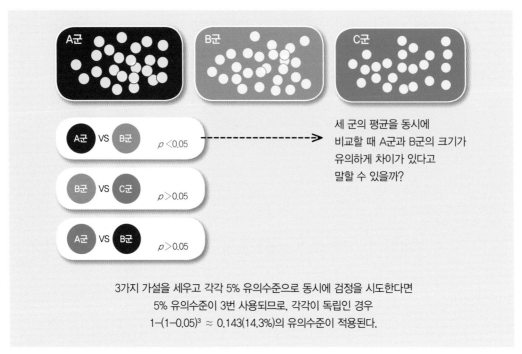

세 군의 평균을 동시에 비교할 때 A군과 B군의 크기가 유의하게 차이가 있다고 말할 수 있을까?

3가지 가설을 세우고 각각 5% 유의수준으로 동시에 검정을 시도한다면
5% 유의수준이 3번 사용되므로, 각각이 독립인 경우
$1-(1-0.05)^3 \approx 0.143$(14.3%)의 유의수준이 적용된다.

그림 8-10 **다중 비교 시 주의사항**

또한 분산분석을 통해서는 모든 집단의 평균이 동일하다고 볼 수 있는지 여부만을 확인할 수 있고, 구체적으로 어떤 집단 간에 차이가 발생하는지는 알 수 없다. 따라서 이를 파악하기 위해서는 사후분석(post-hoc analysis)이 수행되어야 한다. 대표적인 사후분석 방법으로는 다중비교분석 방법(multiple comparison test)이 있다. 다음은 다중비교분석 방법 중 가장 널리 쓰이는 다중비교분석 방법들에 대한 설명이다.

① Scheffe 방법

여기에 소개된 방법들 중 가장 보수적인 방법이다. 보수적이라는 의미는 두 집단 간 차이를 판단하는 기준이 엄격해 유의한 차이를 얻기가 어려운 방법이라는 의미이다. 각 집단의 표본수가 다르며, 짝비교 외에 복잡한 비교를 하고자 할 때 주로 이용된다.

② LSD 방법

분산분석의 창시자인 휘셔(R.A.Fisher)가 제안한 방법이며, 상당히 보수적인 방법, 즉 유의한 결과를 얻기 힘든 방법으로 알려져 있다. 최근에는 짝비교 방법을 설명하는 목적으로 주로 쓰이고 실제 자료분석에서는 잘 사용되지 않는 편이다.

③ Tukey 방법

각 집단의 표본수가 동일하며, 짝비교가 주관심사일 때 주로 이용된다. 원래는 분산분석에 사용된 모든 집단의 크기가 동일한 경우에 사용하도록 개발되었으나, 현재에는 집단의 크기가 서로 다른 경우에도 적용이 가능하게 발전되었다.

④ Bonferroni 방법

상당히 보수적이고, 일반적으로 쓰이는 방법이다. 짝비교의 횟수로 유의수준을 조절해주는 것으로서, 특히 여러 개의 변수에 대해 반복적으로 t 검정을 할 때 활용할 수 있다. 즉, 각 검정들이 서로 독립이 아니므로 이를 조절해주는 것이다.

⑤ Duncan 방법

이 방법은 위에 제시한 다른 방법들이 너무 보수적이라서 유의한 결과를 얻기가 어렵다는 것을 해결하기 위해 개발된 방법이다. 따라서 유의한 결과를 상대적으로 쉽게 얻을 수 있다. 이 때문에 많은 연구자들이 선호하지만 통계학자들은 이 방법을 별로 권하지 않는다.

(8) 크루스칼–왈리스 검정(Kruskal–Wallis test)

일원배치분산분석에 상응하는 비모수적 통계검정법이다(그림 8-9). 순위합 검정법의 일종으로 모든 자료들을 모아 크기 순으로 정렬 후, 가장 작은 값부터 순위를 매겨 군별로 순위합을 구하여 비교한다. 일원배치분산분석과 마찬가지로, 어떤 집단에서 차이가 발생했는지 정확히 파악하기 위해서는 사후분석을 진행해야 한다. 이를 위해서 Mann-Whitney test를 시행 후, Bonferroni's method로 α값을 보정해야 한다.

- **크루스칼–왈리스 검정을 선택하기 위한 가정 조건**
  - 독립변수: 범주형 자료, 특히 서열형 변수
  - 종속변수: 연속형 자료

- 독립적인 셋 이상 집단의 평균 차이 비교
- 셋 이상 집단의 자료는 비정규 분포
- 귀무가설(H_0): 셋 이상 집단의 크기가 같다

(9) 반복측정분산분석 (repeated measures ANOVA)

반복측정이란 같은 개체를 대상으로 여러 시점에서 반복하여 측정하는 것을 의미한다(그림 8-9). 따라서 개체 내 작은 변동도 측정 가능하며 시간에 따른 변화를 측정할 수 있다는 장점이 있다. 반복측정을 수행하는 연구의 형태는 크게 2가지로 구별할 수 있다. 첫 번째 연구디자인은 하나의 군에 같은 처치를 하고 시간에 따른 변화를 분석하는 것이다. 두 번째 연구디자인은 두 군에 서로 다른 처치를 가한 뒤, 두 군의 시간에 따른 차이를 비교하는 것이다. 이때, 시간과 군 사이의 교호작용 발생 여부가 관심의 대상이 된다. 시간과 군의 교호 작용은 변수들 간의 상호작용으로 인해 각 변수의 효과의 합으로 예상되는 결과가 나타나지 않을 때 예측할 수 있다. 따라서 두 군 간 시간에 따른 기울기가 유의하게 다를 때 교호작용이 있다고 할 수 있다. 따라서 반복측정을 통해 두 집단을 비교한다는 것은 시간에 따른 변화가 군 간에 유의한 차이가 있는지를 검정하는 것이다(그림 8-11).

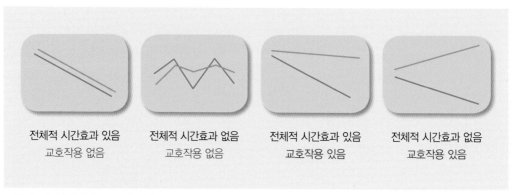

| 전체적 시간효과 있음 | 전체적 시간효과 없음 | 전체적 시간효과 있음 | 전체적 시간효과 없음 |
| 교호작용 없음 | 교호작용 없음 | 교호작용 있음 | 교호작용 있음 |

그림 8-11 **시간과 군의 교호작용**

반복측정자료를 정확하게 분석하기 위해서 개체내상관을 고려해야 한다. 개체내상관 (within-subject correlation)이란 같은 개체 내에서 반복해서 측정된 자료들은 서로 독립적일 수 없고, 연관되어 있음을 의미하는 것이다. 반복측정 자료를 분석하는 방법에는 여러가지가 있으나, 대응표본 t 검정의 확장으로 F 분포를 이용하는 분산분석을 이용하는 반복측정분산분석이 대표적인 방법이다. 그 이외에도 선형혼합모형 또는 일반화 추정 방정식을 통해서도 분석가능하다.

반복측정분산분석을 수행하기 위한 가정조건은 각 군의 정규성이 만족되어야 하고, 어느 두 시점 사이에서 비교된 측정치 차이의 분산은 모두 일정(구형성 만족)해야 한다. 또한 군 간 분산구조가 동일해야 한다(동일성 만족). 구형성 가정은 Mauchly's test로 검정하는데, 구형성 가정을 만족하지 못할 경우, Greenhous-Geisser, Huynh-Feldt 등이 제안한 수정된 검정통계량을 통해 반복측정분산분석을 수행할 수 있다. 두 집단 이상 비교 시, Box의 동일성 검정을 수행하여 동일성 가정을 확인해야 한다.

- **반복측정 분산분석을 선택하기 위한 가정 조건**
  - 독립변수: 짝을 이룬 범주형 자료
  - 종속변수: 연속형 자료
  - 짝을 이룬 자료, 즉 동일 집단의 서로 다른 여러 시점에서의 평균 차이 비교
  - 정규성, 구형성, 동일성 가정사항 확인 필요
  - 귀무가설(H_0): 모든 시점의 평균은 같다 / 시간에 따른 집단 간 차이가 없다

(10) 프리드만 검정(Friedman test)

셋 이상의 연관된 집단에서 분산분석의 가정을 만족하지 못할 경우에 사용하는 비모수적 통계검정법이다. 반복측정분산분석에 상응하는 비모수적 통계검정법이며, 독립변수가 범주형 자료이거나 비정규분포인 경우에 사용한다. 반복측정분산분석과 마찬가지로 사후분석이 필요하다.

- **프리드만 검정을 선택하기 위한 가정 조건**
  - 독립변수: 짝을 이룬 범주형 자료
  - 종속변수: 연속형 자료
  - 짝을 이룬 자료, 즉 동일 집단의 서로 다른 여러 시점에서의 크기 차이 비교
  - 귀무가설(H_0): 반복측정 자료에서 중앙값이 모두 동일하다

가) 관계분석

(1) 연관성 분석(association): 카이제곱 검정

두 변수를 독립변수와 종속변수를 구분하여 두 변수 간의 연관성을 알아보는 방법으로, 교차분석 결과를 바탕으로 모집단의 관련성을 검정하는 것이 카이제곱 검정이다. 비교검

정과는 다르게 두 변수간의 연관성 유무를 검정한다.

카이제곱 검정을 위한 통계적 가정은 다음과 같다.

- 종속변수가 명목변수 또는 서열변수이어야 한다.
- 카이제곱 검증을 실시하기 위해서는 각 범주에 포함되어 있는 도수를 갖게 되는데 이를 관찰도수(observed frequency) 또는 관찰빈도라고 하고, 각 범주에 포함될 것으로 기대되는 도수를 기대도수(expected frequency)라고 하는데, 교차분류표상 관찰도수가 0인 칸이 하나도 없어야 하고, 기대도수가 5보다 작은 칸이 전체 칸의 20% 이하이어야 한다.
- 각 칸에 있는 도수들은 각각 독립적이어야 한다. 즉, 어떤 칸에 해당된 사례는 다른 칸에 해당된 사례와 상관이 없는 독립적 관계이어야 한다.

(2) 상관성 분석(correlation): 피어슨 상관/스피어맨 순위상관

수집한 자료의 척도를 기준으로 변수들 간에 어느 정도 밀접한 관계가 있는지를 판단하기 위한 분석 방법으로, 자료의 척도를 기준으로 변수 간의 상관성을 파악하기 때문에 척도에 따라 상관성 분석 방법도 달라진다.

① 피어슨 상관(Pearson's correlation)

조사 목적에 맞게 구성된 변수들 간의 상관성을 분석하는 모수적 통계검정법으로, 변수는 연속형 자료로 이루어져 있고, 두 변수 중 적어도 하나의 변수는 정규성을 만족해야한다. 상관관계는 두 개의 변수를 기준으로 양의 방향과 음의 방향으로 일정한 규칙이나타나는 선형관계의 형태와 상관 정도를 수치로 표현한다. 단, 관심을 갖는 두 변수 외의 나머지 변수가 관심 변수들 사이의 상관 정도에 영향을 미치는 경우가 있다. 이 때에는 나머지 변수를 통제한 상태에서 두 변수 사이의 순수한 상관성의 정도를 평가할 수있는 편상관분석을 이용한다.

상관분석 전에 두 변수 간의 선형적 관계 여부를 파악하기 위하여 좌표 평면상에 각 변수의 값을 나타내는 점을 찍어 그림으로 나타낸 산점도(scatter diagram)를 확인하는 과정이 필요하다.

두 변수 간 상관의 정도, 즉 상관성의 강도는 상관계수(r)에 의해 표현된다. 그 값은 $-1 \leq r \leq 1$로 분포한다. 상관계수가 양수, 즉 (+)로 나타나면 두 변수가 양의 상관관계에 있다고 말하며, 상관계수가 음수, 즉 (-)로 나타나면 두 변수가 음의 상관관계에 있다고 말한다.

● **상관계수(r) 값의 해석**

 - 0.20 이하: 거의 무시할만한 상관관계

 - 0.20~0.40: 낮은 상관관계

 - 0.40~0.60: 보통 수준의 상관관계

 - 0.60~0.80: 높은 상관관계

 - 0.80 이상: 강한 상관관계

② 스피어만 순위상관(Spearman's rank correlation)

독립변수와 종속변수가 서열변수이거나 비정규성 연속형 자료인 경우, 두 변수 간의 상관관계를 살펴볼 때 사용하는 비모수적 통계검정법이다.

(3) 예측성 분석

① **단순선형회귀(simple regression) 분석**

1개의 독립변수가 1개의 종속변수에 미치는 영향을 예측하기 위한 모수적 통계검정법이다. 두 변수 모두 연속형 자료인 경우에 적용가능하다. 다만, 변수가 명목척도나 서열척도로 측정된 경우는 더미변수(dummy variable)로 변환하여 이용할 수 있다.

두 변수 X(독립변수)와 Y(종속변수)의 분포를 표현할 수 있는 산점도의 직선을 회귀식이라고 하며, 회귀식($y=\alpha+\beta x$)은 종속변수 Y에 대한 실제값이 아니라 예측된 값으로 표기된다. 단순선형회귀분석은 오차항의 정규성, 등분산성, 독립성이 가정되어야 한다.

단순회귀분석의 해석은 산점도로써 독립변수와 종속변수의 선형성을 우선 확인하고, F검정을 이용하여 회귀식의 유의성을 검정하고, T 분포를 이용하여 회귀계수(β)의 유의성을 검정한다. 그리고 결정계수(R^2)에 의한 회귀모형의 설명력을 확인한 후, 정규 P-P곡선, 잔차산점도를 이용하여 회귀분석의 기본 가정을 점검한다.

② **다중선형회귀(multiple linear regression) 분석**

다중회귀분석은 종속변수에 영향을 주는 독립변수가 두 개 이상일 때 적용하며, 모든 변수가 연속형 자료이어야 한다. 다중회귀분석은 종속변수와 관련이 있는 주요 독립변수들을 파악할 수 있을 뿐만 아니라, 다른 변수들의 영향을 통제한 상태에서 개별 독립변수들이 종속변수에 실제 미치는 영향의 정도를 파악할 수 있기 때문에 치위생학 분야에서 유용하게 활용될 수 있다. 특히, 여러 개의 독립변수를 통해 가능한 한 정확히 종속변수의 값을 예측할 수 있다.

다중회귀분석에 대한 해석은 단순회귀분석과 동일하며 기본 가정에 대한 검증 시 다중공선성에 대한 진단이 필요하다. 다중공선성이 존재하면, 해당 회귀계수의 검정결과가 유의하지 않게 나올 수 있기 때문이다. 다중공선성은 공차한계(tolerance)와 분산팽창요인(variance inflation factor, VIF)을 통해 파악할 수 있다. 공차한계가 0.1 이하이거나 VIF가 10 이상이면 다른 변수와 다중공선성이 존재하는 것으로 간주된다.

다중회귀분석에서는 회귀모형에 포함될 독립변수의 수가 많을 때에는 종속변수에 대한 설명력을 증가시킬 수 있는 장점이 있다. 단, 독립변수가 i개로 늘어나기 때문에 독립변수의 개수가 늘어나는 만큼 R^2이 변화하는 정도를 수정해야 한다. 따라서 다중회귀분석에서는 전체변동량 중에서 회귀식에 의해 설명가능한 변동의 비율인 R^2을 조정할 필요가 있다. R^2을 표본의 크기와 독립변수의 수로써 조정한 계수를 수정된 결정계수(adjusted R^2, $R^2 adj$)라고 한다.

다중회귀식을 구성하는 여러 개의 독립변수들의 상대적 영향력을 비교하기 위해 표준화 회귀계수의 절대값을 비교한다. 표준화 회귀계수란 독립변수들의 값을 평균=0, 표준편차=1로 표준화시켜 계산한 값이다. 회귀계수(β)는 독립변수들의 단위에 영향을 받기 때문에 회귀계수의 크기로 독립변수의 영향력을 직접 비교해서는 안 된다.

의미 없는 독립변수가 투입됨으로써 회귀모형의 적합도를 저해시킬 수 있으므로 회귀모형에 포함될 독립변수를 선택하는 것은 매우 중요한 과정이다. 회귀모형에 포함될 중요한 변수만을 선택하거나 설명력이 없는 변수를 제거함으로써 회귀분석의 예측력을 높일 필요가 있다. 독립변수를 선택하는 방법으로는 변수를 하나씩 추가해 나가면서 유의성 여부를 판단하는 전진선택법(forward selection), 모든 변수를 포함한 상태에서 가장 중요하지 않은 변수부터 차례로 제거하는 후진제거법(backward elimination), 새로이 변수를 선택하여 추가시킬 때 이미 모형에 포함된 변수 각각에 대하여 유의성을 검정하여 유의성이 없으면 모형에서 제거시키는 단계선택법(stepwise regression)이 있다(표 8-2).

표 8-2 **독립변수 선택 방법**

방법	내용
입력	회귀분석을 실시할 때 독립변수를 모두 한 번에 투입하여 회귀모형을 추정하는 방법이다. 강제로 모든 변수를 투입하게 되므로 유의미한 변수와 유의하지 않은 변수에 대한 모든 정보가 산출된다.
단계 선택	회귀분석에 투입되는 독립변수들 가운데 설명력이 가장 높은 변수들로 회귀모델을 구성하는 방법이다. 첫 번째 단계에서는 종속변수 간 상관관계가 가장 높은 변수를 투입하고, 두 번째 단계에서는 종속변수 간 편상관관계가 있는 변수들을 투입한다. 그런 다음 각 단계별로 설명력이 높은 변수에 대한 유의성 검증을 실시하며, 유의하지 않는 변수는 제거한다.
제거	회귀분석을 실시하면서 연구자가 선택한 변수들이 강제로 제거되어 분석된다.
후진제거	회귀분석에서 모든 독립변수를 포함하여 통계적 기준에 따라 중요도가 가장 낮은 변수부터 하나씩 제거되면서 분석이 진행되는 방법이다. 더 이상 제거할 필요가 없을 때(통계적 기준치) 중단하며, 제거 후 남아있는 변수들을 중요 변수로 채택하여 분석한다.
전진선택	회귀분석을 실시할 때 모든 독립변수를 포함하여 통계적 기준에 따라 중요도가 가장 높은 변수부터 하나씩 추가해 나가는 방법이다. 더 이상 중요한 변수가 없을 때(통계적 기준치) 중단한다.

다중회귀분석을 통해 현상을 가장 잘 설명해 주는 최적의 모형을 선택하는 것은 매우 중요하다. 다만, 변수 사이에 다중공선성이 있는 경우, 임상적으로 타당한 변수를 선택하는 것이 더 중요할 수 있다. 또한 연구결과에서는 유의성이 다소 부족하더라도 종속변수와의 관계가 이미 입증되어 있는 변수라면 회귀모형에 포함시키는 것을 추천한다.

③ 로지스틱 회귀(logistic regression) 분석

독립변수를 이용하여 범주형 종속변수를 예측(분류)하기 위한 비모수적 통계 검정법이다. 특정 질병의 유무에 영향을 미치는 요인을 밝히는 것이 목적이기 때문에, 질병의 위험인자에 대한 연구를 수행할 때 유용하다. 따라서 로지스틱 회귀분석을 통해 질병의 발생가능성을 예측할 수 있다.

로지스틱 회귀분석을 통해 추정된 회귀모형은 모형 계수 전체 테스트(model chi-square test)를 통해 유의성을 검정한다. 또한 우도비 검정을 통해 회귀계수의 유의성을 검정한다. 회귀식의 설명력은 Cox & Snell의 결정계수이나 Nagelkerke의 결정계수를 이용하여 표현된다.

로지스틱 회귀모형은 투입될 독립변수의 선택에 따라 추정될 수 있다. 독립변수를 선택하는 방법은 전진선택법과 후진제거법이 있다. 전진선택법은 가장 중요한 독립변수부터 시작하여 더 이상 유의한 변수가 없을 때까지 변수를 투입하는 방법으로, 적은 수의 요인이 선택된다. 후진제거법은 모든 변수를 투입한 상태에서 가장 덜 중요한 변수부터 제거를 시작하는 방법으로, 상대적으로 많은 요인이 포함된다. 회귀모형의 타당성은 로그 우도비(log likelihood), 분류 정확도(classification accuracy) 및 Hosmer-Lemeshow 검정에 의해 평가된다. 회귀모형을 결정할 때는 자동화된 계산에 의지하지 말고, 여러 모형 사이에서 임상적인 판단을 가미하여 보다 합리적인 회귀모형을 결정할 것을 추천한다.

로지스틱 회귀모형에서 개별 위험인자의 영향은 exp(β)값을 통해 질병 발생에 대한 교차비(odds ratio)로 표현된다. exp(β)〉1일 때, 요인에 의한 질병의 위험이 증가한다고 할 수 있고, exp(β)〈1일 때, 요인에 의한 질병의 위험이 감소한다고 해석할 수 있다. 이때 해석상 오류를 피하기 위해서는 데이터 코딩 시 위험인자가 있는 경우를 더 큰 값으로 코딩할 것을 추천한다.

CHAPTER 9

연구계획서

Reseach Methodology
for Dental Hygiene

치 위 생 　 연 구 방 법 론

연구계획서

 ## 1. 연구계획서의 개념

연구계획서(research proposal)란 연구자가 진행하고자 하는 연구의 과정을 서술한 계획서이다. 작성하기 전 참고할 자료에 대한 검토가 필요한데 이는 아무리 연구주제가 좋다고 해도 충분한 자료검토가 없다면 질 높은 연구를 수행할 수 없기 때문이다. 또한 조사연구, 실험연구 등의 연구방법에 대한 부분도 심도 있게 계획을 세워 작성해야 한다.

연구계획서에 포함되어야 할 필수 항목은 다음과 같다.

① 연구의 필요성과 목적이 명확해야 한다.
② 연구의 범위와 방법이 분명해야 한다.
③ 연구의 최종결과물인 논문의 전반적 구성을 밝힌다.
④ 연구내용의 전체적 흐름에 대해 밝힌다. 계획서 상의 연구결과에 대한 구체적 언급은 곤란하지만 적어도 이 연구의 기대와 전망 또는 이 연구가 미치게 될 영향에 대하여 기술한다.
⑤ 연구의 진행에 대한 연구 일정표를 첨부한다.
⑥ 연구계획에 있어 예상되는 한계가 있을 경우 연구의 제한점을 밝힌다.
⑦ 연구분석의 틀을 제시한다. 통계적 분석을 할 경우 필수적으로 분석모형을 제시해야 하지만 설문이나 통계분석이 없는 경우 반드시 제시할 필요는 없다.
⑧ 참고문헌을 제시한다.
⑨ 연구계획서에 대한 규정을 지키는 것이 좋다. 예를 들어 글자의 수를 제한하는 경우 규정에 따르는 것이 좋다. 글자 수를 확인하는 방법은 한글→파일→문서정보→문서통계에서 확인할 수 있다.

의미 있는 연구결과를 도출하여 정해진 시간 내에 연구를 종료하고 우수한 논문을 작성하기 위해서는 연구계획서 작성에 많은 심혈을 기울여야 한다.

2. 연구계획서 양식

연구계획서의 구성은 연구논문과 유사하지만, 연구계획서는 장차 연구를 진행하기 위한 절차를 작성한 것이고, 연구논문은 연구계획서의 순서에 따라 연구를 마치고 연구결과와 결론을 도출하여 완성한 것이다. 연구계획서는 연구논문에 비해 표현이 간결하고 진술형식도 미래형으로 기술하는 것에 비해 연구논문은 연구계획서보다 연구내용이 늘어나고 과거형으로 서술된다. 연구계획서와 연구논문의 양식은 〈표 9-1〉과 같다.

표 9-1 **연구계획서 양식과 연구논문 양식의 차이점**

연구계획서 양식		연구논문 양식	
I. 서론: 연구의 필요성 및 목적		I. 서론: 연구의 필요성 및 목적	
II. 이론적 배경		II. 이론적 배경	
III. 연구방법	1. 연구대상	III. 연구방법	1. 연구대상
	2. 연구절차		2. 연구절차
	3. 언구도구		3. 연구도구
	4. 연구가설 및 통계 분석		4. 연구가설 및 통계 분석
IV. 기대효과 및 활용방안		IV. 연구결과	
V. 연구일정		V. 고찰 및 결론	
VI. 연구비 예산		참고문헌, 부록	

연구계획서에는 서론, 이론적 배경, 연구방법, 기대효과, 연구일정으로 구성되며 정책연구과제 등의 공모에 의한 연구를 수행할 때에는 연구비 소요 예산 항목이 추가된다.

연구제목은 연구계획서의 한 줄 요약이므로 주제에서 벗어나지 않도록 명확해야 한다. 또한 서너 개의 단어나 단어 군으로 구성하여 일반인들도 이해할 수 있는 읽기 쉬운 제목을 선택해야 한다. 연구제목에는 반드시 연구대상, 독립변수 및 종속변수가 기술되어야 한다.

3. 연구계획서 작성의 실제

1) 서론(introduction)

연구계획서의 서론은 연구의 필요성과 연구목적을 기술하는 부분이다. 연구의 첫인상이라고 할 수 있으므로 느낌 있게 작성해야 한다.

연구의 필요성은 수행하고자 하는 연구가 시기적으로 적절하며, 학문적으로나 정책적으로 중요한 가치가 있다는 것을 부각시켜 독자들의 흥미를 유발함으로써 관심을 불러일으킬 수 있도록 기술되어야 한다. 이 연구를 통한 사회적, 학문적 또는 정책적으로 기여할 수 있는 중요성을 나타내기 위해 발표된 통계수치를 이용하거나 국가 정책의 우선순위 및 시사문제 등을 제시한다. 또한 연구주제와 관련된 기존문헌이나 기사 등을 인용하기도 한다. 연구에 대한 학문적 이론의 중요성은 제시된 연구문제와 관련되어 이미 밝혀진 사실, 또는 새롭게 진행하려는 연구를 통해 학문적 지식체의 발전을 가져올 수 있는 것에 대해 기술한다. 단, 지나치게 자세한 내용을 나열하거나 연구주제와 동떨어진 내용을 인용하는 것은 피해야 한다. 즉, 서론에서는 연구를 유도하는데 필요한 사회현상을 설명하거나 연구의 필요성을 강조할 수 있는 자료만을 인용하는 것이 바람직하다.

일부 연구에서는 연구의 필요성을 기술하면서 어떤 연구주제가 없기 때문에 수행하려고 한다고 기술하는 경우가 있으나, 이는 연구자가 이미 발표된 연구에 대한 문헌고찰이 미흡했다는 것을 의미할 수도 있기 때문에 선행연구가 없더라도 그러한 표현은 삼가야 한다.

연구목적은 서론의 마지막 부분에서 명확하고 간결하게 진술하도록 한다. 연구의 개괄적인 목적을 독자들이 편안하면서도 쉽게 이해할 수 있도록 기술하는 것이 중요하다.

즉, 서론에서는 연구계획서에서 다루어질 연구범위와 연구목적을 간략하게 밝히고 그 연구의 성격을 간단히 소개하는 부분이다. 따라서 ① 보편적인 화제를 이용하고, ② 주제에 대한 개념을 서술하며, ③ 현 주제와 관련된 기존의 연구 동향이나 통계자료 등을 활용한다.

2) 이론적 배경(literature review)

이론적 배경은 연구내용과 관련된 문헌 고찰을 통하여 연구의 이론적인 틀을 구축한다. 여기에는 교과서, 학술지 논문, 학위논문, 기사, 통계자료 등 다양한 자료를 이용할 수 있다. 그러나 연구계획서에서는 연구논문에 비해 연구내용과 크게 관련되는 주요 문헌만을 인용하여 연구의 핵심적인 내용을 제공해야 한다. 일반적으로 10~15편 정도의 문헌을 인용하는 것이 바람직하며 가능한 최근에 발표된 문헌을 참조하여 인용한다.

이론적 배경에서는 1차 자료인 연구논문과 2차 자료인 교과서 능에서 관련 내용을 발췌하여 기술한다. 이 같은 자료는 연구내용에 대한 기초적인 정보를 제공할 뿐만 아니라 연계되는 전문적인 연구결과에 대한 최근 동향을 소개하여 연구 쟁점의 전개를 돕는다. 또한 일정한 이론에 기초를 둔 논제에서의 접근 방법이 있어야만 여러 사실에 대한 체계적 정리가 가능하다. 이러한 방법의 채택은 향후 수준 높은 논문을 만들기 위한 기본 요건 중 하나이다.

연구자는 연구문제와 관련된 문헌의 주요 요약내용을 분석하여 논문에서 연구내용이 자연스럽게 전개되도록 기술해야 한다. 그러기 위해서는 관련된 많은 문헌을 정독하여 연구결과의 핵심을 파악하는 것이 중요하다. 또한 연구계획서에서 사용하는 기본 자료나 특수용어에 대한 설명은 명백히 밝혀야 한다.

3) 연구방법(materials and methods)

연구계획서에서의 모든 부분은 중요하지만 그 중 연구방법이 가장 중요하다고 할 수 있다. 연구방법에서는 연구를 수행하려는 연구대상, 연구절차, 연구도구, 연구가설 및 통계분석방법 등을 기술한다.

(1) 연구대상

연구대상(subject)은 연구에 참여하는 사람들로서 연구방법에 따라 선정방법이 달라진다. 실험연구의 경우에는 연구대상 추출에 무작위할당(randomization)이 이용되며, 접촉이 가능한 집단으로부터 연구대상을 선정하여 실험집단과 대조집단에 무작위로 할당한다.

조사연구에서는 연구대상에 대한 표집방법이 매우 중요하며, 표집절차(sampling)를 자세하게 설명하는 것이 필수적이다. 모집단 규명과 표본추출에 대한 상세한 설명을 통해 표집방법의 타당성을 입증해서 일반화의 가능성을 기술해야 한다.

또한 연구대상의 성별, 연령, 직업, 학력 등 인구사회학적 특성에 대해서도 기술한다.

(2) 연구절차

연구절차(procedure)는 건물을 짓기 위한 설계도와 같은 역할을 하며, 연구대상을 선정한 후부터 연구결과를 얻기 전까지 수행하는 모든 연구행위를 단계적으로 기술하여야 한다. 연구대상이 결정되면 실험연구, 조사연구 등 각 연구방법의 특성에 따라 연구진행 과정을 순서대로 기술한다.

실험연구에서는 실험군과 대조군에 대한 선정과정을 기술하고 개입(intervention)이 이루어졌다면 어떤 처치를 어떻게 얼마동안 하였는지 기술해야 한다. 아울러 실험과정에 사용될 기기나 장비에 대해서도 기술한다.

조사연구에서는 표집방법을 상세히 기록해야 하고 연구방법이 무엇인지에 따라 그 과정을 기술한다. 설문조사연구에서는 언제, 어떤 방법으로 연구대상에게 설문을 배포하고 회수하며, 이후 어떤 통계절차와 방법에 의해 분석할 것인지 상세하게 기술해야 한다. 면접조사연구에서는 언제, 어디서, 무엇을, 어떻게 질문할 것인지에 대해 기술한다. 관찰조사연구에서는 연구대상의 행위에 대한 관찰을 정해진 기준에 따라 어떻게 어떤 방법으로 얼마만큼의 간격으로 관찰할 것인지 기술한다. 그리고 관찰결과의 기록은 어떻게 할지, 관찰자는 몇 명이나 동원할지, 조사자 훈련은 어떻게 할 것인지를 기술한다. 특히 관찰결과의 불일치가 발생했을 때는 어떻게 조정할 것인지 기술해야 한다.

연구절차를 보다 과학적이고 체계적으로 정리해야 연구의 진행이 순조로워져 좋은 연구결과를 도출할 수 있다. 체계적인 연구절차는 연구의 최종 결과물인 논문의 수준에도 영향을 준다. 이는 세밀하게 작성된 설계도에 의해 내실 있는 건물이 완공되는 것과 같은 원리이기 때문에 연구자는 연구절차를 매우 신중하게 검토해야 한다.

(3) 연구도구

연구도구(instrument)는 자료 수집을 위한 연구대상의 특성을 측정하는 도구로서 생리적인 측정에 사용되는 구강검사용품, 체중계, 혈압계 등 간단한 기구에서부터 실험연구에 사용되는 주사전자현미경, 광학현미경 등 특수한 기기까지 다양하다. 특수한 기기를 사용할 경우에는 연구도구에 대한 상세한 설명이 추가로 필요하다.

설문조사연구에 이용되는 설문지는 설문조사의 목적, 특성, 문항 수, 문항에 대한 타당도와 신뢰도가 자세하게 기술되어야 한다. 이미 개발된 설문도구를 이용할 경우에는 반드시 출처를 밝혀야 하고, 본인이 개발한 설문도구라면 신뢰도와 타당도를 입증할 수 있는 방법을 기술해야 한다.

관찰조사연구 시, 관찰표를 이용하여 연구결과를 기록하였다면 관찰표의 형식, 내용, 결과 등을 상세하게 기술해야 하며, 측정도구로 사용된 검사나 설문지, 관찰표 등은 본문에 포함시키지 않고 부록으로 첨부한다.

(4) 연구가설 및 통계분석

연구가설은 연구목적을 구체화한 가설을 의미하며, 연구를 유도하기 위한 잠정적인 진술이다. 연구가설은 주장하고자 하는 연구결과와 항상 일치하지는 않지만 충분한 이론적 배경조사를 통한 연구절차의 세밀한 구성으로 연구자가 기대하는 결과를 얻을 수 있게 된다.

따라서 연구목적을 구체화한 연구가설이 서술되어야 하며 연구목적에 따라 연구가설의 수가 다양할 수 있으나 지나치게 많으면 연구의 초점이 흐려지므로 5개 이하의 연구가설을 설정하는 것이 바람직하다.

연구가설이 구체화되면 각 연구가설에 대한 해답을 얻기 위해 적합한 통계분석이 요구된다. 통계분석은 단순히 기술통계(descriptive statistics)를 이용할 수도 있으나 대부분은 추론통계(Inference statistics)를 이용한다. 일반적으로 빈도분석, t-검정 및 분산분석, 카이제곱검정, 상관분석, 회귀분석, 메타분석, 경로분석 등이 이용된다. 통계분석 방법은 연구가설, 표본의 수, 검정하려는 변수의 속성에 따라 달라진다.

연구에 이용된 변수의 특성과 가설에 적용되는 통계분석방법을 구체적으로 기술하는 것이 바람직하며 연구계획서에 제시된 통계분석방법을 통해 지도교수나 심사위원들이 연구계획서의 타당성을 확인하게 된다.

(5) 기타

연구수행 및 학술지 논문접수를 위해 연구수행 전 반드시 기관생명윤리위원회(Institutional Review Board, IRB)의 승인을 거쳐 계획 중인 연구에 윤리적 문제가 없는지 확인해야 한다.

4) 기대효과 및 활용방안

연구에서의 기대효과는 수행할 연구에서 어떤 결과가 도출될 것인지 문헌고찰 등을 통해 미리 예상하여 연구계획서에 서술하는 것으로 향후 논문작성에도 도움이 될 수 있다. 연구결과가 기여하는 학문적, 교육적, 기술적인 측면과 경제 · 산업적 측면 등에 대한 연구결과의 활용방안을 구체적으로 기술한다. 연구계획서 심사자는 기대효과를 통해 연구계획서의 가치와 필요성의 정도를 인식할 수 있게 된다.

5) 연구일정

연구일정은 연구비 수혜기간 내에 연구를 진행하는데 소요되는 시간 및 연구진행과정을 체계적이면서 현실적으로 작성한다. 〈표 9-2〉는 설문조사연구의 연구일정표에 대한 예시이다.

표 9-2 **연구일정표**

연구내용 \ 월	1	2	3	4	5	6	7	8	9	10	11	12
문헌연구	■	■										
설문제작 및 예비조사		■	■									
연구대상 표집				■								
자료수집(설문조사)					■	■						
통계분석							■					
결과해석 및 논문작석							■	■	■			
학술지 기고, 심사 및 수정										■	■	
연구비 정산 및 실적보고												■

6) 연구비 예산

연구비 예산의 기준은 연구를 발주한 기관마다 차이가 있으므로 기관의 기준을 상세하게 파악하여 작성해야 한다.

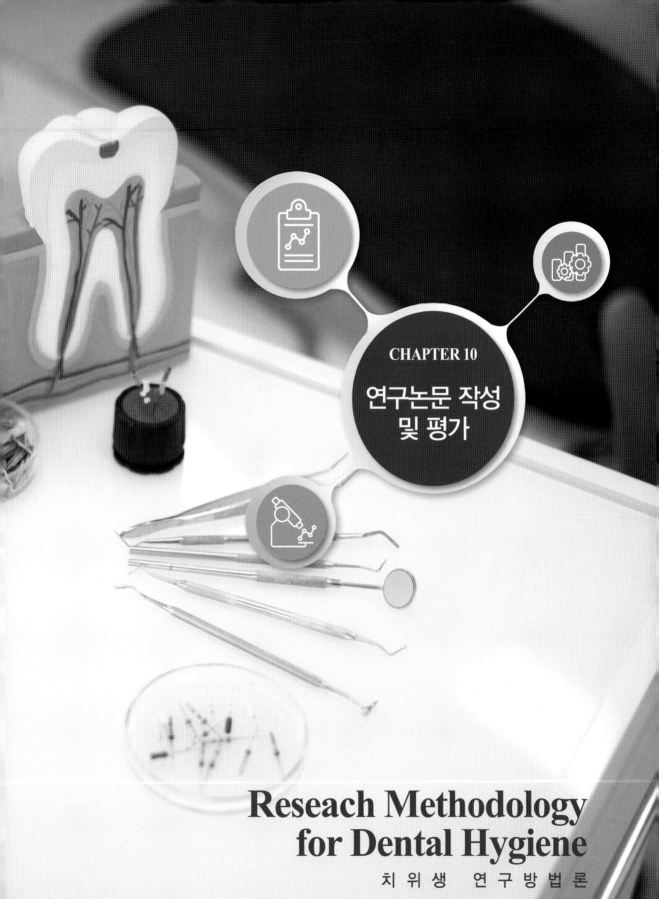

CHAPTER 10

연구논문 작성
및 평가

Reseach Methodology
for Dental Hygiene

치 위 생 연 구 방 법 론

연구논문 작성 및 평가

 ## 1. 연구논문의 작성

연구논문의 유형은 용도에 따라 다양하다. 학위논문은 학생이 연구과제에 대한 진행과정
과 결과를 알리는 것으로서 관련된 모든 연구문헌이 포함된 긴 보고서이며, 이로써 자신의
학문적 과업수행능력을 보여줄 수 있다.

학술지에 게재하는 논문 역시 연구과정과 결과에 대한 보고이며, 관심이 있는 독자에 의
해 검색되어 활용된다. 모든 학술지는 지면을 제한적으로 제공하므로 논문의 길이를 고려
하여 작성해야 한다.

이와는 별도로 학술대회 시 활용되는 구두발표(구연) 및 포스터 발표는 연구결과를 서로
나누고 발표하는 고도의 시각적 방법이다. 구두발표(구연)나 포스터 발표 시 학술대회 연
제집에 게재되는 초록(abstract)은 연구의 전반적 내용을 한 눈에 살펴볼 수 있도록 짧게 요
약하여 빠르고 효율적으로 전달시켜 준다. 논문의 형식에 구분 없이 모든 연구논문에는 필
수적인 구성 체계와 핵심 내용이 있는데, 이 장에서는 그 구성 및 내용을 정리하고자 한다.

1) 서론

(1) 연구배경 및 필요성

서론에는 연구자가 왜 이 연구를 하게 되었는지에 관한 배경과 이유 그리고 연구과제의
중요성 또는 필요성을 기술한다. 그리고 이 분야에서 진행된 최근의 연구를 살펴보면서 연
구자의 연구주제에 대한 방향을 밝힌다. 연구 동향을 기술할 때 주의할 점은 지나치게 오래
된 논문이나 문헌은 피해야 하며, 해당 연구와 직접적으로 관련 있는 문헌의 주요 연구결과
와 쟁점들만을 기술한다.

(2) 연구목적

서론의 마지막 부분에서는 연구하려는 목적과 이에 따른 구체적인 목적을 자연스럽게 기
술한다. 연구목적과 더불어 이 연구의 예상되는 결과로 사회에 기여할 수 있는 부분을 기

술하는데, 간혹 연구결과로 얻을 수 있는 기대 효과가 자기 연구의 목적인 것처럼 표현하는 경우가 있다. 예를 들어 '이 연구의 목적은 우리나라 국민의 구강건강을 향상시키는데 있다'는 표현은 연구목적으로 적당치 않다. 이 경우 논문의 연구결과가 국민의 구강건강을 향상시키는데 참고가 될 수는 있지만 목적일 수는 없기 때문이다.

2) 연구방법

연구방법에 기술한 대로 시행을 하면 차후 같은 연구를 누가 하더라도 통계학적으로 허용되는 오차범위 내에서 같은 결과가 나와야 한다. 그러므로 연구방법은 반복적인 재현이 가능하도록 정확하고 자세하게 작성되어야 한다. 일반적으로 연구대상 및 자료원(data source), 연구의 설계, 조사도구와 측정방법, 용어의 정의, 변수의 선정, 통계학적 분석방법 등을 기술한다. 이때 반드시 연구목적에 부합하는 연구방법을 제시해야 한다.

(1) 연구대상

연구대상은 모집단의 특성을 먼저 기술한 후 모집단에서의 표본추출 방법을 제시한다. 표본의 크기와 응답률 및 탈락률도 명확히 제시하여 이 연구의 일반화 가능 정도를 알게 해야 한다. 연구대상자의 연령, 성별 등의 인구학적 특성과 관계가 있는 변수 등을 보고해야 하며, 이들 표본이 전체 모집단에 어느 정도를 차지하는지에 대한 비율도 언급하는 것이 좋다.

(2) 조사변수 및 측정방법

관심 있는 변수를 측정하기 위하여 사용된 측정도구에 관한 내용은 연구방법에서 가장 중요하게 서술되어야 할 부분이다. 아주 간략하게 쓸 수도 있으나 일반적으로는 조작적 정의(operational definition)를 얼마나 합리적으로 측정하였는가를 알리기 위해 상세히 쓴다. 논문에 측정도구 전부를 기재할 수 없을 경우, 도구의 형태와 내용을 가능한 상세히 기록한다. 연구문제에 관한 질문지는 대상자에게 배포했다는 간단한 설명보다 질문 문항 수, 개방형 질문 또는 폐쇄형 질문, 질문의 구성 등을 자세히 설명하는 것이 바람직하다. 타 연구자에 의해 개발된 측정도구를 사용할 경우, 반드시 출처를 명시해야 하고 필요에 따라서는 원저자의 허락을 받아야 한다.

연구를 위해 측정도구를 개발한 경우에는 도구개발의 절차, 도구의 타당도와 신뢰도 측정을 위한 예비조사 및 수정작업 절차, 도구의 점수부여 방식, 도구를 해석하는 방법 등을 밝혀야 한다. 또한 측정도구의 타당도와 신뢰도 수치를 제시해야 한다.

(3) 자료수집 절차

자료수집 방법에 대한 내용은 측정도구를 가지고 대상자로부터 자료를 얻은 절차에 대하여 설명한다. 실험연구인 경우에는 실험 절차를 설명하고, 면접을 했을 경우에는 면접시간, 장소, 방법에 대하여 보고해야 한다. 관찰을 했을 경우에는 관찰법을 설명하고, 질문지를 사용한 경우에는 배포 및 회수방법에 대해 보고해야 한다. 만약 자료를 수집하는 동안 예상치 못한 일이 발생했을 경우 그 일이 연구결과에 미치는 영향에 대해서도 보고해야 한다.

(4) 통계분석 방법

마지막으로 통계분석방법과 자료를 처리하기 위해 사용한 컴퓨터 프로그램에 대하여 보고하게 되는데, 통계처리를 위해 사용한 일반적인 통계분석 방법이나 컴퓨터 프로그램에 대하여는 설명할 필요가 없으나, 일반적으로 잘 사용하지 않는 통계분석법이나 프로그램은 자신의 통계분석 방법이나 절차 등의 정당함을 나타내기 위하여 제시하는 것이 바람직하다.

(5) 윤리적 고려

연구수행 및 학술지 논문접수를 위해 연구수행 전 반드시 기관생명윤리위원회(Institutional Review Board, IRB)의 승인을 거쳐 계획 중인 연구에 윤리적 문제가 없는지 확인해야 한다.

3) 연구결과

연구결과는 명확하고 간결하게 기술해야 한다. 또한 논리적으로 연구목적에 부합해야 하며, 객관적 사실(fact)에 근거하여 연구결과를 기술하여야 한다. 연구결과의 이해를 돕기 위하여 표(table), 그림(figure), 사진 등을 활용할 수 있다.

연구결과를 보고하는 부분에서는 통계분석 결과를 제시하게 된다. 만일 기술통계와 추론통계를 함께 사용하였다면 대개 기술통계 결과를 먼저 제시한다. 연구결과에 대한 기술은 연구가설의 지지여부와 관계없이 가능한 정확하고 객관적으로 제시하여야 한다.

여러 가지 분석결과가 제시되어야 할 경우에는 표나 그림을 활용하여 제시하는 것이 좋다. 정확한 표나 그림의 활용은 불필요하고 장황한 설명을 피할 수 있고 중요한 연구결과를 알기 쉽게 부각시킬 수 있어 결과적으로 효율적이며 경제적이다. 표나 그림의 순서를 숫자로 나타내면 인용할 때 간편하여 찾아보기 편리하다.

4) 논의(고찰) 및 제언

논의란 연구결과를 여러 각도에서 해석하고 선행된 연구결과들과 비교 검토함으로써 연구결과의 타당함에 대한 주장을 뒷받침하는 과정이다. 이때 연구문제나 가설은 연구결과에 따라 설명해야만 한다. 즉, 논의는 반드시 연구목적, 주제, 가설이 일치해야 한다. 결과에 대한 해석이란 나의 연구주제와 관련 있는 학문적 성과와 의미를 다룬 선행연구 결과에서 찾아내는 과정이다. 이로써 다른 연구의 결과들과 연계하여 나의 연구를 설명할 수 있게 된다.

논의는 선행된 연구결과들과의 관련성을 밝혀 객관적이고 논리적으로 해석해야 한다. 조정이나 통제가 불가능한 요인이 연구결과에 영향을 미친 경우나 기대했던 바와 상반되는 결과가 나왔을 경우, 그 내용에 대해서도 자세하고 솔직하게 기술한다.

또한 연구자가 수행한 연구방법 및 결과에 대한 제한점(limitation)을 기술해 주고 연구결과에 대한 해석 시의 주의사항과 향후 연구 시 보완할 수 있는 방안도 제시해주면 후속 연구 수행에 도움이 될 수 있다.

5) 결론

결론은 논문의 전체 요약, 결론, 결론을 바탕으로 한 함의, 제언 등을 기술한다. 연구결과를 토대로 타당한 결론을 제시하면서 이를 해석할 때 필요한 주의사항을 기술한다. 결론을 통해 해당 연구가 시사하거나 내포하는 함의(implication)와 연구결과의 활용방안(application) 등을 제시힐 수 있다. 최근에는 결론 부분이 논의(고찰) 및 제언 부분에서 함께 다뤄져 생략되는 추세이다.

6) 기타사항

서론, 연구방법, 연구결과, 논의 및 제언, 결론 외에 언급해야 하는 부분이 있다.

첫째, 연구제목이다. 단순히 '연구보고서', '치위생 연구에 대한 보고'라고 제목을 쓰는 것은 적절치 않다. 연구제목만 보더라도 연구의 성격을 짐작할 수 있어야 좋은 연구제목이므로 가능하다면 독립변수와 종속변수, 연구대상 등을 연구제목에 명시하는 것이 좋다. 무엇을 연구하고자 한 논문인지 간결하고 정확하게 제시한다.

둘째, 참고문헌 목록이다. 본문에 인용된 문헌은 반드시 참고문헌 목록에 포함되어야 한다. 참고문헌 목록을 쓰는 방법은 학술지에 따라 약간의 차이가 있으므로 투고 전 반드시 해당 학술지의 투고 규정을 참고해야 한다.

셋째, 초록이다. 초록은 논문의 요약이므로 본문을 읽기 전에 내용을 파악할 수 있도록 기술한다. 일반적으로 학술지나 학위논문에서는 논문의 본 내용을 제시하기 전 논문의 초록을 먼저 제시할 것을 요구한다. 초록은 연구문제, 연구방법, 연구결과, 결론을 보통

200~300개 단어 내로 간략하게 알려주어 논문의 전부를 읽을 것인지에 대한 결정을 하는 데 도움을 준다. 우리나라에서는 학위논문이나 학술지논문 게재 시 영문초록이 요구되기도 한다. 일반적으로 초록의 마지막 부분에는 연구의 핵심어(key words)가 제시되어야 하며, 핵심어의 개수는 학술지의 투고규정에 따라 상이하지만 일반적으로 5개 미만의 핵심어를 요청한다.

2. 연구논문의 평가

논문의 평가기준을 알고 있으면 본인의 논문을 준비하거나 타인의 논문을 비평할 때 참고할 수 있다. 논문의 평가기준은 일반적으로 다음과 같다.

1) 연구목적의 명료성 및 타당성
2) 연구문제의 수행 가능성
3) 문헌고찰의 적절성 및 타당성
4) 연구목적과 연구설계 및 연구방법 간의 일치성
5) 표본추출절차와 표본의 적절성
6) 통계분석방법의 정확성
7) 연구결과와 논의의 명료성
8) 기타

1) 연구의 명료성 및 타당성

연구자는 연구의 목적을 구체적으로 진술해야 한다. 또한 연구를 하게 된 이유와 그 연구가 왜 중요한지 제시하여 독자로 하여금 연구수행의 가치를 인정할 수 있도록 한다.

① 연구문제가 명확히 언급되었는가?
② 연구의 중요성 및 타당성이 언급되었는가?
③ 이 연구가 치위생학을 발전시키기 위해 필요한 것인가?
④ 이 연구가 앞으로의 치위생학, 치위생연구, 치위생지식의 발전과 인류의 복지를 위해 공헌할 것인가?

2) 연구문제의 수행 가능성

잘 진술된 연구문제는 다음과 같은 내용을 포함해야 한다.

① 경험적 근거나 자료의 측정을 통하여 해답을 얻을 수 있는가?
② 둘 이상의 개념 간의 관계를 나타내는 질문으로 진술되었는가?
③ 문제의 진술이 명확하고 구체적으로 제시되었는가?
④ 주제에 대한 선행연구의 맥락과 현존지식 안에서 연구문제를 설정하였는가?
⑤ 가설이 분명하게 진술되었는가?
⑥ 측정방법을 반복연구에 이용할 수 있도록 개념이나 변수를 명확히 조작적으로 정의했는가?
⑦ 연구의 제한점과 가정이 포함되었으며, 논리적으로 타당한가?
⑧ 연구문제가 연구제목에 반영되었는가?
⑨ 연구문제의 검증이 가능한가? 그리고 연구제목, 연구목적, 문헌고찰과 일치하는가?

3) 문헌고찰의 적절성 및 타당성

문헌고찰은 선행연구나 이론적 배경 또는 이론적 틀로서 표현하기도 한다. 연구주제가 현존하는 지식의 기초 위에서 전개되었는지가 연구논문을 평가하는 세 번째 기준이 된다. 연구논문에 열거된 참고문헌에서 일관성 있는 문헌고찰을 확인할 수 있어야 하고, 다음과 같은 내용을 포함하여야 한다.

① 연구자는 연구대상자 및 연구방법과 논리적 연관성이 있는 참고문헌을 선택하였는가?
② 연구자는 선행연구의 모순점을 해결하기 위해 문헌을 고찰하고 통합하는 노력을 하였는가?
③ 문헌고찰 부분이 논리적으로 조직화되어 있는가?
④ 문헌고찰 시 출처를 정확히 제시하였는가?
⑤ 문헌고찰 시 상반된 결과를 나타낸 선행연구논문도 참고문헌에 포함시킬 만큼 개방적이었는가?
⑥ 문헌고찰이 개념의 정의나 변수의 조작적 정의에 정당성을 제공하였는가?

4) 연구목직과 연구설게 및 연구빙법 간의 일지성

연구목적과 연구설계 및 연구방법 간의 일치성을 평가하기 위하여서는 다음과 같은 질문을 해야 한다.

① 연구문제의 강점과 약점을 포함하여 연구설계를 제시하였는가?

② 연구설계 시 연구결과를 왜곡시킬 수 있는 외생변수를 통제하였는가?

③ 자료수집 절차의 타당성을 예비조사나 참고문헌에서 확인하였는가?

④ 자료수집 도구나 사본 및 중요한 근거자료를 부록에 첨부하였는가?

⑤ 자료수집 시 다른 사람의 측정도구를 이용했을 때 그 출처를 제시하였는가?

⑥ 측정도구를 스스로 개발하였다면 타당도와 신뢰도를 포함한 측정도구의 개발과정이 제시되었는가?

⑦ 자료수집, 측정, 분석과정에서의 오차를 방지하려는 노력이 있었는가?(표 10-1 참조)

⑧ 실험연구라면 외생변수의 통제, 독립변수의 조직화, 표본설정과 표본할당 당시 확률분배 및 반복연구의 가능성에 대한 근거를 제시했는가?

⑨ 모든 표본의 연구조건을 동일하게 유지하기 위해 어떤 시도를 했는가?

⑩ 실험연구 시 술자나 연구대상의 기밀을 유지하기 위해 어떤 시도를 했는가?

표 10-1 **연구오차와 가능한 원인**

1. 자료 특성
   1) 부적절한 표본 추출
   2) 부정확한 측정
   3) 신빙성 없는 자료
2. 분석적 특성
   1) 통계적 오차
   2) 잘못 선택된 분석방법
   3) 상이한 자료의 비교
   4) 불충분한 자료에 근거한 일반화
   5) 중요한 요인에 대한 인식 결여
   6) 인과성과 상관성의 혼동
   7) 편견, 선입관 지지를 위한 조작된 해석
   8) 모순된 근거의 제거

5) 표본추출절차와 표본의 적절성

모집단 전체로부터 자료를 얻는 것은 불가능하므로 연구자는 표본 설정의 기준에 대해 설명해야 한다. 표본에 관한 내용을 평가할 때에는 다음 사항을 검토해야 한다.

① 표본추출방법과 그 이유는 무엇인가?

② 연구결과가 일반화 될 수 있도록 표본이 모집단을 대표하는가?

③ 대표성을 높이기 위한 전략은 무엇인가?

④ 표본의 크기가 자료분석을 위한 통계분석의 가정을 증폭시키는가?

⑤ 표본이 표준오차를 감소시킬 만큼 충분한가?

⑥ 표본의 크기가 연구결과에 영향을 줄 수 있는가?

⑦ 표본의 선택기준은 무엇인가?

⑧ 동의서는 어떻게 얻었으며 연구대상자의 권리는 어떻게 보호되었는가?

⑨ 누락된 표본의 특징과 그 누락원인에 대해 설명했는가?

6) 통계분석방법의 정확성

통계분석방법이 적절했는지를 확인하기 위해서는 제시한 자료가 충분하고 명확해야 한다. 충분한 수의 대상자가 포함되었는지, 대상자 수의 증감이 연구결과에 영향을 줄 수 있는지, 그리고 어느 정도 영향을 주었는지를 독자가 판단할 수 있도록 검증력 분석(power analysis)에 대한 언급이 있어야 한다. 통계사용에 관련된 가정은 명확해야 하며, 다른 연구자가 분석적 조작을 반복할 수 있도록 분석방법에 대한 세부사항이 포함되어야 한다. 분석방법을 평가할 때에는 다음 사항이 포함되어야 한다.

① 유의수준(significance level)을 포함하여 연구에서 사용된 통계검정방법을 구체적으로 명시하였는가?

② 수량화되지 않은 자료의 분석적 전략에 대한 준거를 설명하고 제시하였는가?

③ 사용된 통계분석방법이 자료의 성격(연속형 혹은 범주형)에 부합하는가?

④ 연구문제에 대한 답을 얻기 위해 올바른 분석방법을 사용하였는가?

7) 연구결과와 논의의 명료성

논문의 결과 부분은 연구문제나 가설을 검증하기 위한 분석방법의 기술적 보고를 포함한다. 반면에 논의는 결과가 무엇을 의미하는지 해석하고, 앞으로의 연구를 위한 아이디어를 제언하기도 한다. 결과와 논의에 대한 평가를 위해 다음의 질문을 할 수 있다.

① 자료를 도표로 나타내는 이유가 제시되었는가?

② 계산상의 오차를 발견해 낼 수 있는가?

③ 도표형식으로 제시된 결과와 서술된 결과 간에 모순이 있는가?

④ 도표나 그림의 제목이 적절한가?

⑤ 도표는 변수들 간의 관계를 명확하고 쉽게 제시하였는가?

⑥ 논의는 결과에 근거하였는가?

⑦ 실제 연구결과와 연구자의 해석을 구별하여 제시했는가?

⑧ 해석이 정당화될 수 있는지를 충분히 규명하였는가?

⑨ 중요결과를 축소하고 중요하지 않은 결과를 지나치게 강조하지는 않았는가?

⑩ 결과가 명확하고 논리적으로 조직화되었는가?

⑪ 결론이 연구결과를 확대하여 내려진 것은 아닌가?

⑫ 향후 연구에 대한 제언을 했는가?

⑬ 실패나 부정적 결과를 솔직하게 언급했는가?

⑭ 연구의 제한점을 제시하였는가?

8) 기타

(1) 연구제목

① 연구제목의 길이가 알맞은가?

② 연구제목에서 중요한 변수를 언급하였는가?

③ 연구제목에서 연구하고자 하는 모집단이 누구인지 언급하였는가?

(2) 참고문헌

① 인용한 문헌이 모두 언급되었는가?

② 인용규칙을 지켰는가?

(3) 초록

① 초록이 너무 길거나 너무 짧지 않은가?

② 초록에서 연구목적, 연구 대상자를 언급하고 있는가?

③ 초록에서 중요한 연구결과를 언급하고 있는가?

(4) 보고서 형식과 문체

① 전반적인 보고서 구조가 적절한가?

② 보고서 문체가 너무 과장되지 않았는가?

③ 보고서 문체가 객관적이지 못하고 너무 주관적이지 않은가?

이외 논문의 평가 형식의 예를 몇 가지 들어보면 다음과 같다(표 10-2, 3).

표 10-2 **논문평가 형식의 예) Form Ⅰ**

항목	O, X		비고
1. 문제가 명료하게 진술되어 있는가?	O	X	
2. 가설이 명료하게 진술되어 있는가?	O	X	
3. 문제가 의의는 있는 것인가?	O	X	
4. 연구에 대한 가정이 명확히 진술되어 있는가?	O	X	
5. 연구의 제한점(한계)이 명시되어 있는가?	O	X	
6. 주요용어가 정의되어 있는가?	O	X	
7. 연구에 대한 선행연구가 고찰되어 있는가?	O	X	
8. 연구설계에 대한 설명이 상세히 되어 있는가?	O	X	
9. 연구설계가 문제를 해결하는데 적절한가?	O	X	
10. 연구설계에 문제가 없는가?	O	X	
11. 모집단과 표집단이 서술되어 있는가?	O	X	
12. 표집방법이 적절한가?	O	X	
13. 자료수집 및 절차가 서술되어 있는가?	O	X	
14. 자료수집 및 절차가 문제를 해결하는데 적절한가?	O	X	
15. 자료수집 및 문헌고찰은 정확하게 활용되어 있는가?	O	X	
16. 수집된 자료에 대한 타당도와 신뢰도가 인정되는가?	O	X	
17. 자료분석 시 적절한 통계기법들이 설정되어 있는가?	O	X	
18. 자료분석 시 활용된 방법들이 정확하게 적용되었는가?	O	X	
19. 분석에 대한 결과가 명확하게 제시되었는가?	O	X	
20. 결론이 명료하게 진술되어 있는가?	O	X	
21. 결론이 자료에 의해 제시되어 있는가?	O	X	
22. 모집단의 일반화가 되어 있는가?	O	X	
23. 보고서가 명료하게 기록되어 있는가?	O	X	
24. 보고서가 논리적으로 조직되어 있는가?	O	X	
25. 보고서의 기록체가 편견이 없는 태도로 기술되어 있는가?	O	X	

표 10-3 **논문평가 형식의 예) Form Ⅱ**

	항목	비고
1. 제목	전체 연구내용에 대한 표현의 적합성	
2. 서론	연구의 배경과 필요성에 관한 언급	
	필요성을 뒷받침할 자료의 제시	
	연구결과의 실용 가능성	
3. 연구방법	가설 입증에 대한 방법의 적합성	
	표본 크기와 추출방법의 적절성	
	측정의 타당성 및 신뢰도	
	자료수집 및 자료처리의 적합성	
4. 연구성적	분석에 의한 통계기법의 적절성	
	연구성적 제시의 논리성	
5. 총괄 및 고안	참고문헌의 결과와 관련된 고찰	
	가설 입증을 위한 의도적인 생략이나 비약 배제	
	연구의 한계에 대한 제시	
	후속 연구의 필요성 및 주안점 제시	
6. 결론	연구성적과 결론의 일치도	
	편견이 게재된 합리화 및 부당한 일반화 배제	
7. 결론	목적-방법-결과-결론의 구성	
8. 참고문헌	인용문헌의 적절성	
	투고규정 준수	

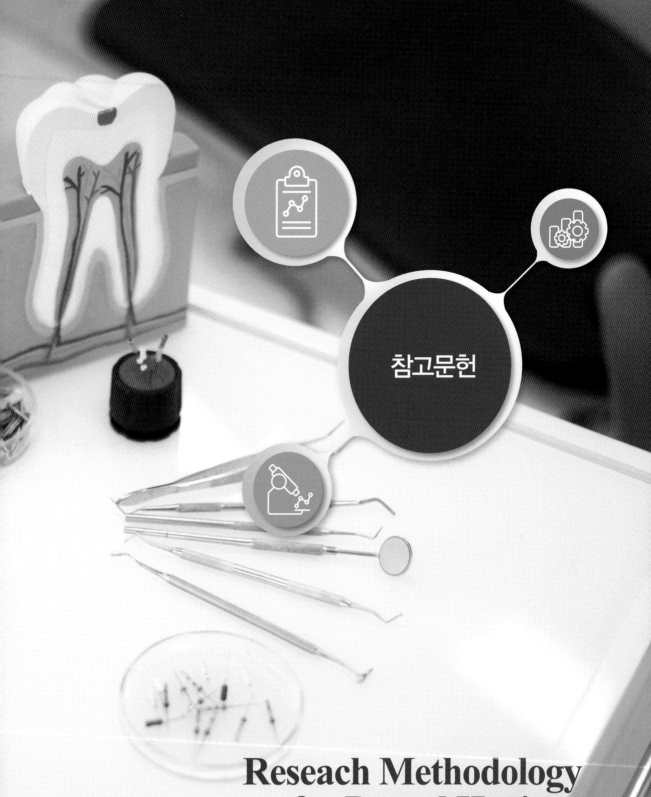

참고문헌

**Reseach Methodology
for Dental Hygiene**

치 위 생 연 구 방 법 론

1. 강형곤. 보건의료연구를 위한 통계분석방법, 군자출판사, 2017.

2. 김남희 외 3인. 한국치위생학 연구의제(Research Agenda) 발굴, 한국치위생과학회, 연세대학교 원주산학협력단, 2016.

3. 김문실 외 2인. 초심자를 위한 간호연구방법론, 정담출판사, 2000.

4. 김수연 외 7인. NECA 체계적 문헌고찰 매뉴얼, NECA 연구방법 시리즈, 8: 1-287, 2011.

5. 김수택 외 10인. 조사방법의 이해, 교우사, 2006.

6. 김정순. 역학원론, 제5판, 신광출판사, 2002.

7. 남궁근. 행정조사방법론, 제3판, 법문사, 2003.

8. 대한예방의학회. 건강통계자료 수집 및 측정의 표준화, 제1판, 계축문화사, 2000.

9. 류정숙 외 5인. 치위생학 학문분류 정립을 위한 연구, 대한치위생(학)과교수협의회, 2014.

10. 박덕영 외 10인. 국제학술지투고를 위한 의학계열 논문쓰기, 지성출판사, 2000.

11. 박성현 외 2인. 통계조사분석, SPSS 아카데미 고려정보산업, 1999.

12. 서울대학교 통계학과. SPSS를 이용한 통계학, 자유아카데미, 2009.

13. 성태제 외 1인. 연구방법론, 2판, 학지사, 2009.

14. 송인섭 외 9인. 실제논문작성을 위한 연구방법론, 교육과학사, 2010.

15. 신민철. 사회연구방법의 기초, 창민사, 2007.

16. 신영수 외 1인. 의학연구방법론, 서울대학교출판부, 2004.

17. 심준섭. 행정학 연구의 대안적 방법으로서의 방법론적 다각화(Triangulation): 질적방법과 양적방법의 결합, 한국행정연구, 2008;17(2):3-31.

18. 유승흠. 보건학 연구방법과 논문쓰기, 계축문화사, 2005.

19. 윤혜상. 간호연구, 청구문화사, 2010.

20. 윤희상 외 4인. 간호연구방법론, 한미의학, 2009.

21. 이기성 외 2인. 한글 SPSS 통계자료분석, 자유아카데미, 2009.

22. 이석훈. 양적·질적연구방법의 철학적 가정에 관한 비교연구, 연세대학교 대학원, 1989.

23. 이은옥. 간호학 연구방법론 입문, 서울대학교 출판부, 1993.

24. 이인재. 연구부정행위로서 표절과 올바른 글쓰기, 물리학과 첨단기술 4월호, 2008.

25. 이해정 외 3인. 건강전문가를 위한 연구방법론: 이해와 비평, 2판, 군자출판사, 2017.

26. 이혜경 외 3인. 간호연구개론, 2판, 현문사, 1997.

27. 임도빈. 질적연구 방법의 내용과 적용전략: 양적인 질적연구와 질적인 질적연구, 정부학연구, 2009;15(1):155-187.

28. 장종화 외 10인. 한국치위생학회지 게재논문의 연구동향분석: 창간호부터 2015년까지, 한국치위생학회지 2017;17(4):693-704.

29. 장학섭. 연구윤리와 연구자료, 자료의 해석: 연구자료의 이용과 인용의 윤리(사회과학을 중심으로), 제1차 연구윤리 포럼, 한국학술단체총연합회, 2010.

30. 정원균 외 8인. 우리나라 치위생학 학문체계의 발전 방향에 관한 연구, 대한치과위생사협회, 대한치위생(학)과교수협의회, 2009.

31. 조흥식 외 3인. 질적연구방법론, 학지사, 2006.

32. 채서일. 사회과학조사방법론, 비앤엠북스, 2005.

33. 한국연구재단. 연구논문의 부당한 저자 표시 예방에 관한 연구, 이슈리포트 11호, 2019.

34. 한승준. 조사방법의 이해와 SPSS 활용, 대영문화사, 2006.

35. 함창곡. 이중 게재의 문제와 과제. 제1회 연구윤리 포럼: 올바른 연구 실천의 방향과 과제, 교육인적자 원부, 한국학술진흥재단, 2007.

36. 홍여신 외 3인. 간호연구방법론, 대한간호협회, 1992.

37. American Dental Hygienists Association(ADHA). National Dental Hygiene Research Agenda(NDHRA), 2016.

38. Canadian Dental Hygienists Association(CDHA). CDHA's 2015-2020 Dental Hygiene Research Agenda, 2019.

39. Clandinin DJ, Connelly FM. Narrative inquiry: Experience and story in qualitative research. San Francisco: Jossey-Bass; 2000.

40. Corbin J, Strauss A. Basic of qualitative research: Techniques and procedures for developing grounded theory. 3rd ed. Thousand Oaks, CA: Sage; 2008.

41. Earl R. Babbie 저, 김상욱, 고성호, 김광기 역. 「사회조사방법론」, CENGAGE LEARNING, 2007.

42. Elsevier Korea L.L.C: ScienceDirect User Training manual, www. sciencedirect.com, 2010.

43. Giorgi A, Giorgi B. Phenomenology. In: Smith JA, editor. Qualitative psychology: A practical guide to research methods. Thousand Oaks, CA: Sage, 2003. p. 26-52.

44. Giorgi A. The descriptive phenomenological method in psychology:A modified husserlian approach. Pittsburgh, PA: Duquesne University Press; 2009.

45. Guba EG, Lincoln YS. Effective evaluation. San Francisco, CA:Jossey-Bass Publishers; 1981.

46. Hennekens CH, Burning JE, Mayrent SL, Doll SR. Epidemiology in Medicine. Boston/Toronto: Little, Brown and Company. 1987.

47. Jekel JF, Katz DL, Elmore JG. Epidemiology, Biostatistics and Preventive Medicine. 2nd ed. Philadelphia: WB Saunders Company. 2001.

48. Kathryn H. Jacobsen 저, 강형곤 역. 보건의료연구방법론, 군자출판사, 2015.

49. Kitto SC, Chesters J, Grbich C. Quality in qualitative research. The Medical Journal of Australia. 2008;188(4):243–246.

50. Lawrence F. Locke, Stephen J. Silverman & Waneen Wyrick Spirduso 2004:214–215.

51. Lincoln YS, Guba EG. Naturalistic inquiry. Newbury Park, CA:Sage; 1985.

52. Ministry of Education, Korea Centers for Disease Control and Prevention. Guidelines for using raw data from Korea Adolescent Health Risk Behavior Survey from 2005 to 2018. 2019:3–33.

53. Nelson, J. Using conceptual depth criteria: addressing the challenge of reaching saturation in qualitative research. Qualitative Research, 2016.

54. ProQuest 한국지사. 프로케르트 사용매뉴얼, korea@asia.proquest.com, 2010.

55. Robert K Yin. Case study research: design and methods;2008.

56. Rudestam K, Newton R. Surviving your dissertation: A comprehensive guide to content and process. London: SAGE Publications, Inc; 2007.

57. van Manen M. Researching lived experience: Human science for an action sensitive pedagogy. London, ON: The Althouse Press; 1997.

58. Verma P. Use of G*Power Software. In: Determining Sample Size and Power in Research Studies. Springer, Singapore. 2020.

59. Yilmaz K. Comparison of Quantitative and Qualitative Research Traditions: epistemological, theoretical, and methodological differences. European Journal of Education 2013;48(2):311–325.